Lo que mueve el mundo

Seix Barral Biblioteca Breve

Kirmen Uribe

Lo que mueve el mundo

Traducción del euskera por
Gerardo Markuleta

Título original: *Mussche*

Seix Barral, un sello editorial de Editorial Planeta, S. A.
Avda. Diagonal, 662-664 - 08034 Barcelona (España)
www.seix-barral.es
www.planetadelibros.es

Primera edición: marzo 2013
Segunda impresión: mayo 2013
Tercera impresión: julio de 2022
ISBN: 978-84-322-1547-6
Depósito legal: B. 2.338 - 2013
Composición: Víctor Igual, S. L.
Impresión y encuadernación: Arvato Services Iberia, S. A.

El papel utilizado para la impresión de este libro está calificado como **papel ecológico** y procede de bosques gestionados de manera **sostenible**.

A Nerea

—Saliste de Bilbao siendo apenas un chaval y desde entonces nunca has vuelto. ¿Crees que la decisión de tus padres fue acertada?

—No había otro remedio.

Entrevista mantenida en Bogotá, en 2011, con Paulino, niño de la guerra del 36.

PRIMERA PARTE

1

Tras el bombardeo de Gernika, el lendakari José Antonio Agirre se reafirmó en su decisión de poner a salvo a los niños. En aquel 1937, entre mayo y junio, diecinueve mil pequeños salieron del puerto de Bilbao hacia diversos países europeos. La mayoría de ellos hallaron refugio en Francia, la Unión Soviética, Gran Bretaña y Bélgica. Viajaron al extranjero solos, sin sus padres, con la única compañía de un grupo de profesores dispuestos a ayudarlos.

El 6 de mayo el buque *Habana* partió por primera vez desde el puerto de Santurce hacia La Rochelle. Iban a bordo 2.483 refugiados. En otro tiempo, el *Habana* había sido un transatlántico de lujo que efectuaba la ruta Bilbao-La Habana-México-Nueva York. El buque, construido en La Naval de Sestao, era la estrella de la compañía. En la década de los treinta había sido bautizado como

Alfonso XIII, pero con el advenimiento de la República le cambiaron el nombre. Con todo, aquella época de gloria era ya agua pasada. En cuanto estalló la guerra el gobierno se apoderó del buque con la intención de dejarlo anclado en el puerto y convertirlo en un hospital. Sin embargo, el quehacer del *Habana* fue muy otro. En lugar de permanecer amarrado en el muelle, realizó infinidad de viajes entre Bilbao y distintos puertos franceses, utilizando el estrecho pasillo libre de minas abierto por el buque británico *Seven Seas Spray*. En cada trayecto lo vigilaban los destructores de la armada franquista, sobre todo el *Almirante Cervera*.

La ría de Bilbao estaba completamente bloqueada y no era fácil salir. No lo habrían logrado sin la ayuda de los barcos de la Royal Navy. El ejército sublevado no veía con buenos ojos la protección de los británicos; consideraba ilegal la intervención de un país extranjero, y amenazaron incluso con hundir aquellos barcos llenos de niños. Sin embargo, las amenazas no se cumplieron, y el *Habana* continuó con sus viajes durante un mes más. El último lo hizo el 13 de junio, con 4.500 niños a bordo, apenas una semana antes de que cayera Bilbao.

Hay cosas que nunca se olvidan. Karmentxu Cundín Gil fue uno de aquellos pequeños que embarcaron en el *Habana*. Entonces no era más que una niña de ocho años. Su hermano Ramón era dos años mayor, y la familia puso a ambos camino de Gante. En total llegaron a Bélgica desde el País Vasco 3.278 niños; un número muy elevado, si tenemos en cuenta el tamaño del país de acogida. ¿Cómo sería aquella travesía de Karmentxu Cundín y su hermano Ramón? Con la intención de imaginármelo, acudí a dos mujeres que hicieron el mismo trayecto, las hermanas Mirante. Ambas tienen poco más de ochenta años y aún viven en Gante. Como tantos otros niños que embarcaron en el *Habana*, nunca volvieron a su tierra. «Sé que estoy enferma, pero aquel viaje no lo olvidaré en la vida», me dijo la más joven. Aquella mujer afectada de alzhéimer me contó con todo detalle cómo fueron esos amargos días de su infancia.

Primero me habló de los bombardeos. «Al principio no era más que un juego, a los niños nos gustaba quedarnos mirando los aviones que llegaban a Bilbao.» Pero enseguida se dieron cuenta de que la cosa no estaba para juegos. En cierta ocasión en que las sirenas de las fábricas empezaron a sonar y ellas se dirigían al refugio de las Calzadas de Mallona —en aquel tiempo el refugio antibombardeos era el túnel del tren de Lezama—, una mujer del barrio dio media vuelta. Llevaba a un bebé en brazos. «Me he dejado el puchero en el fuego.» Ay, madre, y se volvió a casa a apagarlo. Cuando cesó el rugido de los aviones, salieron del refugio y comprobaron que la casa de aquella mujer estaba derruida, una bomba la había echado abajo. La mujer yacía muerta, y el niño, sucio entre las ruinas, aullaba con la pata de una silla de madera incrustada en el cuerpo, aún con vida.

Los bombardeos provocaron el pánico entre los bilbaínos. Y rabia. Un avión que al parecer participaba en los bombardeos cayó en los montes cercanos a Bilbao, y un grupo de mujeres se dirigió al lugar y hallaron al piloto con vida. Le cosieron el cuerpo con agujas de hacer punto y lo mataron allí mismo.

Las hermanas Mirante tampoco habían olvidado el día en que dejaron Bilbao. Fue un día nefasto. Cientos de niños en la cubierta de aquel barco enorme, que ni siquiera sabían adónde los llevaban, niños y más niños vomitando, un puro lamento. En el mar había tormenta. «Poned toda vuestra atención en una sola cosa y ya veréis cómo se os olvida todo lo demás», les había dicho su madre antes de la despedida. Ella fijó la atención en sus zapatos, los zapatos que su madre le acababa de lustrar. Con sus pequeños dedos soltaba los cordones y volvía a atarlos, tal como le había enseñado su madre: «Tienes que formar una rosa con los cordones, colocándolos uno sobre el otro, de esta manera.» Y haciendo y deshaciendo la lazada se olvidó de todo, de la tormenta, de los lamentos de los otros niños, de la familia que había quedado en tierra. Igual que aquella Penélope de la *Odisea*, que tejía y destejía para que el tiempo pasara más deprisa, se olvidó de la ausencia de aquellos que amaba. «De lo que ha pasado esta mañana no me acuerdo. Se me había olvidado incluso que venías a visitarnos. Pero esas imágenes las tengo bien grabadas en mi recuerdo», me dijo mientras se daba golpecitos en la frente con el puño.

Y ahora sí, haciéndome cargo del testimonio de las hermanas Mirante, puedo imaginarme a Karmentxu Cundín en el buque *Habana*, igual que ellas, atándose y desatándose los cordones, la pequeña Karmentxu, que, andando el tiempo, sería costurera. Mirando y remirando sus zapatos, Karmentxu Cundín no vomita en todo el viaje. Su hermano Ramón, en cambio, sí. «El mayor soy yo, ahora yo seré el padre», le dice al salir de Bilbao. Duermen dándose la espalda, y no se darán cuenta de sus caras sucias de polvo, ni del rastro de lágrimas negras derramadas en silencio, del caudal de aquellos secos cauces lunares, hasta que a la mañana siguiente se encuentren frente a frente. Todo es tiniebla en esa caja de zapatos vacía arrojada al mar.

En Gante, conducen a todos los niños a un gran salón de baile llamado Balzaal. Un tren entero de niños sobre el escenario. Cada uno lleva, colgado del cuello, un cartelito con su nombre y apellidos. Karmentxu se fija en una enorme vidriera que hay sobre la entrada al salón. En aquel vitral, un grupo de hombres fornidos intenta mover una gran rueda; quieren liberarla del lodo valiéndose de unos tablones. Una sola mujer, con un bebé en sus brazos, tira del carro; la mujer es tan fornida como los hombres. Tras ellos, en medio de la composición, una orgullosa bandera roja flamea con el viento.

Allí mismo separarán a los hermanos Cundín, sobre el mismo escenario, y adjudicarán a cada uno a la familia que le ha correspondido. Tú con esta familia, tú con esta otra. «Vosotros id siempre juntos, no dejéis nunca que os separen», les había dicho la abuela mientras los abrazaba a un tiempo, con un brazo para cada uno. A pesar de todo, aquella gran rueda de la vidriera se lleva a su hermano; Ramón desaparece entre la gente, casi sin ocasión de decirse adiós.

Al cabo de un momento, un joven con gafas se acerca a Karmentxu.

—Hola, yo soy Robert, Robert Mussche —le dice en castellano, sonriente.

Karmentxu respira y, entonces sí, lo vomita todo sobre el traje oscuro del desconocido.

Herman es el primero en despertarse. Siente a su lado la respiración tranquila de Robert. Han dormido juntos, pecho contra espalda, en una caseta de pescadores. Es agosto de 1929, el día de la Virgen, y están en la costa de Bélgica, en Oostduinkerke, pasando unos días.

Ambos descansan en una caseta blanca de madera, una de esas que los pescadores usan para guardar los aparejos: una estancia cuadrada, con ventanas muy pequeñas sobre la puerta. Si atendemos a su tamaño, parece de juguete, de sueño. Las casetas están dispuestas en hilera, como es costumbre, de espaldas al mar y mirando al sol de tierra.

Herman ve desde atrás el cuello de Robert, el brillo de su pelo negro. Su amigo lleva una camiseta blanca de tirantes que hace resaltar los músculos de su espalda. A Herman le gusta el olor de Robert. No es aún el de un hombre adulto, es más suave. Con el dedo corazón le acaricia los hombros medio en serio medio en broma, casi sin tocarlo. Luego pasa la mano por debajo de su brazo, y se la coloca sobre el pecho. Estrecha contra sí el pecho de Robert. Siente a su amigo unido a él, su cuerpo robusto. Se acelera el latido de su corazón, se da cuenta de que está temblando.

Herman cierra los ojos. Por la tarde han estado bañándose. Los músculos de Robert al sol. Su cuerpo muestra bien a las claras que hace deporte. Es delgado pero fuerte. En el agua, Robert se sube encima de Herman, pone los pies sobre sus hombros y se lanza bajo las olas. Se ríe y traga agua salada. Herman ve a Robert completamente liberado. Su serio y silencioso amigo, haciendo chiquilladas. Por un momento, siente incluso vergüenza ajena, como si la felicidad de Robert estuviera fuera de lugar.

Para Herman Thiery, así lo escribirá más tarde, Robert Mussche es su primer amor. A los diecisiete años no tienen ojos para las muchachas. Las persiguen, claro está, escondidos tras las estatuas de los parques; y disfrutan de su belleza, es cierto; pero su amor de verdad, el más íntimo, es para Robert. Desde que se conocieron en la escuela, a los quince años, no se han separado. Camino del colegio se retrasaban, llegaban siempre tarde, elegían el camino largo para estar más tiempo juntos. A menudo charlando, a veces de cosas serias, a veces de tonterías.

Herman apreciaba la firmeza de carácter de Robert. Era difícil decirle que no; hablaba con seguridad, era un líder. Herman, por el contrario, mucho más caótico, solía tener problemas en la escuela. A pesar de todo, cuando se ponía a hablar, se mostraba como una persona con mucho encanto: habría enredado al mismo diablo con sus palabras. Herman creía que Robert y él eran complementarios. Lo que le faltaba a uno, lo tenía el otro. Se entendían con una simple mirada. No necesitaban a nadie más para estar a gusto. Y ahora dormían juntos en aquella caseta de pescadores.

¿Tendré en la vida algún instante más feliz que este?, piensa Herman. En aquel momento habrían hecho cualquier cosa el uno por el otro. Si hubieran tenido que huir de su casa, habrían huido. Si hubieran tenido que recorrer el mundo caminando, lo habrían hecho. Se trataba de ponerse de acuerdo, sin más preocupaciones. O eso pensaba, al menos, Herman; aunque el amor entre las personas, sea entre amigos o entre amantes, nunca suele ser simétrico. No hay amor que sea completamente justo.

La mañana anterior se habían sentado en una duna para charlar. Robert le había ofrecido un cigarrillo Gold Dollar y Herman aún conservaba en la boca su sabor. Robert recordó enseguida aquella ocasión en que fumó por primera vez. Fue Herman quien se lo dio a probar. «También en eso te enredé yo. Un joven tan sano y recto, y yo voy y te enredo.» Desde que fumó su primer cigarrillo, a Robert no se le caía de entre los dedos. Tampoco a Herman, aunque él era más aristocrático y de vez en cuando prefería fumar en pipa. Herman rio para sí, con Robert tendido junto a él y los ojos cerrados, mofándose de sí mismo, de su propia presunción. Desde la duna veían las playas interminables de Oostduinkerke; los pescadores tirando de la red con ayuda de mulos, un par de acémilas, extendiéndola y recogiéndola. Al llegar a la orilla, la red aparecía de repente en la superficie, y los peces empezaban a agitarse como locos, dando saltos, intentando escapar, en vano.

Herman vuelve a abrir los ojos y se queda mirando a Robert. Cómo ha cambiado este muchacho. De joven era muy serio, muy vergonzoso. Apenas hablaba. Era tan maduro que mientras nosotros departíamos sobre literatura infantil él nos hablaba de Marx con la misma naturalidad y la misma fe que un niño habla de Sinterklaas, el genio navideño portador de regalos. Pero el mayor cambio lo sufrió aquella primavera en que estuvo enfermo. Pasó un tiempo en el hospital, aquejado de apendicitis. Durante la enfermedad no hizo otra cosa que leer. Sobre todo en la temporada que pasó en el pueblo costero de Brede-ne-aan-Zeen. Los maravillosos mundos de Camille Flammarion, de Émile Zola y otros autores progresistas. «Cuando volviste a la escuela eras otro.»

Herman vuelve a acariciar el abundante cabello reluciente de Robert, con cuidado de no despertarlo. Cuánto quería a aquel muchacho, su amigo del alma. Las tardes de otoño paseaban cogidos de la mano por la orilla del río Lys, por los canales de Gante. En las cálidas noches de verano, en cambio, se quedaban en la pequeña casa de Robert. Sus padres trabajaban vendiendo patatas fritas con un carrito, así que se quedaban solos, o con su hermano Georges. Pero Georges desaparecía enseguida, en cuanto empezaban a hablar, interrumpiéndose continuamente: sobre escritores, sobre pensadores, sobre la mala marcha del mundo. «No hay quien os entienda», decía, y se iba a ocuparse de sus cosas. Georges no se parecía en nada a su hermano. Nadie hubiera dicho que eran de la misma familia. A Georges le faltaba el amor de Robert por la lectura, y su tendencia a comprometerse. Prefería la compañía de sus amigos y la holganza. Era un chaval de barrio y no le pedía gran cosa a la vida; si acaso, un trabajo y una novia.

Desde aquella pequeña vivienda de la calle Ferrerlaan, el objetivo de Herman y Robert era el mundo entero. Se ponían a mirar por la ventana con un cigarrillo en la mano, y observaban a la gente que pasaba por la calle. «Tiene que haber una manera de hacer mejor este mundo, de organizar las cosas de otra forma», le decía Robert aquellas noches. Empezaba a hablar tranquilamente, pero luego se encendía, a medida que iba citando injusticias una tras otra. Herman le daba la razón, le decía que estaba en lo cierto, que tenía que haber otra manera. Aun así, en esas ocasiones una especie de pánico se apoderaba de Herman. Le asaltaba la duda de si no sería Robert demasiado inconsciente, demasiado ingenuo, para ver el fondo verdadero de las cosas. Y entonces le embargaba el miedo, el temor de perder a su amigo. Lo contemplaba, con su cigarrillo en la mano, seguro de cuanto decía, en una cálida noche de verano. Y se echaba a temblar. Su amigo era demasiado directo, decía lo que pensaba, y eso era algo que solo le iba a traer dolor en su vida. Robert tenía que aprender a protegerse, no podía exponerse de esa manera.

La respiración de Robert se acelera de repente. Herman aparta un poco la mano y deja de acariciarlo. No querría despertarlo. ¿Qué iba a pensar de él si sintiera que lo estaba acariciando así? Herman se moriría de vergüenza. La respiración de Robert vuelve a relajarse. Herman cierra los ojos. Permanece así durante unos minutos, aspirando el dulce perfume de Robert, oyendo cómo rompen las olas, y siente que los recuerdos se acercan a él de ese mismo modo. Una imagen le hace llegar otra, generan formas distintas, se van modulando, revientan igual que las olas.

Ha amanecido, los destellos de luz empiezan a traspasar las cortinas de los ventanucos. Herman duerme. No ha sido un largo sueño, solo una cabezada de una media hora. Lo despiertan los primeros rayos. El día tira de él como los mulos de la red de los pescadores, y al abrir los ojos percibe el fulgor que forma en los agujeros de la red el resplandor del sol, un brillo que le obliga a cerrarlos.

Hace ademán de levantarse de la cama.

—No te levantes todavía —le dice inesperadamente Robert, sin volverse—, estaba tan a gusto cuando me abrazabas...

Hace rato que Robert está despierto.

El primer recuerdo de Carmen Mussche.

1945. Carmen tiene tres años. De la mano de su madre, camina en dirección a la estación de Sint-Pieters. Recorren la larga avenida de Koning Albert Laan. Más larga aún, para sus pequeños pies de niña. «Date prisa, Carmen, que llegamos tarde.» La madre tira de ella cada vez que se queda parada. Ante el escaparate de la panadería, para mirar las hierbas de la acera... cualquier cosa llama la atención de la niña. «Anda, vamos, Carmen, que papá nos está esperando.» Todos los días llegaban trenes de los campos de concentración. En uno de ellos estaría su padre. Nadie sabía en cuál, ni qué día llegaría, pero tenía que venir.

A Carmen, la estación Gante Sint-Pieters le parece gigantesca. Las sólidas columnas de la entrada, las imágenes en oro y plata dibujadas en el techo, aquellos reyes y santos. La entrada da paso a dos túneles. Son largos y oscuros, están bajo tierra. La gente se precipita por ellos, a izquierda y derecha, bajando por las escaleras que llegan de las vías, como si fuera un gran desagüe. Esa riada de gente será la que traiga a su padre. Pero Carmen no lo conoce, por mucho que su madre le muestre una fotografía de él todas las noches, por mucho que al irse a dormir le dé un beso y le desee buenas noches. Cómo podría reconocerlo, si ni siquiera saben qué aspecto tendrá cuando llegue, si estará bien de salud o muy desmejorado.

Carmen echa a correr hacia los desconocidos que bajan de los trenes. Ahora mira a uno y luego a otro. Después dice «papá, papá», y se abraza a la pierna del que tiene más cerca.

Hay cosas que nunca se olvidan.

2

Los lugares desconocidos a menudo nos resultan fríos. Se apodera de nosotros una especie de penumbra sombría, y notamos más la ausencia de las personas que fuimos dejando atrás.

Es probable que así vivieran los primeros días de su travesía aquellos niños que huyeron de Bilbao. En cualquier caso, para muchos de ellos, seguramente llegar a Bélgica fuera incluso un descanso; sabían que Gante iba a ser su casa, aunque no fuera más que por una temporada. Y eso que no llegaron directamente a su destino. Desembarcaron en La Rochelle y tuvieron que recorrer toda Francia. Al llegar a Bélgica los vacunaron y tuvieron que pasar la cuarentena en una colonia de verano de la costa. Desde allí los distribuyeron por distintas ciudades de Bélgica, entre ellas Gante, a la que correspondió un tren entero.

De los 3.278 niños que llegaron a Bélgica,

3.000 fueron acogidos por familias; no estuvieron en colegios u orfanatos, como sucedió, por ejemplo, con los niños refugiados en Francia. En Gante, la mayor parte de los nuevos padres eran miembros del Partido Socialista de Bélgica, pero los había también comunistas y voluntarios de organizaciones religiosas. Los niños tuvieron buena suerte con las familias, si bien unos pocos fueron acogidos por dinero, dado que las instituciones subvencionaban a quienes se hacían cargo de algún pequeño. La experiencia de estos últimos no fue tan agradable.

Una de las hermanas Mirante fue recibida como una hija en casa de unos sastres; le dieron de todo, le pagaron los estudios, una carrera. La otra hermana, en cambio, las pasó moradas; la obligaban a trabajar de sirvienta, a limpiar la casa, a ordeñar a los animales. Entre las familias que albergaron a niños vascos, es digno de recordar el esfuerzo del matrimonio judío Eeckman, de Bruselas; teniendo como tenían ya seis hijos, tomaron bajo su protección a ocho niños vascos. El padre había hecho dinero con un negocio de compraventa internacional. En cuanto a ideas, era de izquierdas: judío y de izquierdas, lo peor de lo peor para los nazis. La Segunda Guerra Mundial no trajo ningún bien a la familia Eeckman. Tanto el padre como la madre murieron en campos de exterminio.

Poco a poco los niños iban creciendo y adaptándose a la nueva situación. No daban igual cobijo los árboles de su tierra y los de Flandes, la forma de vivir era muy distinta en Bilbao y en Gante. La primera sorpresa agradable fue el pan blanco: durante la guerra, en Bilbao no podían llevarse a la boca más que pan negro. Otra cosa que les sorprendió gratamente fue el hecho de tener juguetes en casa. Cada cual los suyos; algo así era impensable en el País Vasco. Aquellos juguetes de casa daban a los niños cierta calidez, una especie de seguridad. Para ellos, ese fue el cambio más destacado: tenían juguetes; no jugaban en la calle, como en Bilbao, con llantas de hierro oxidado o con pelotas hechas con trapos viejos. En Gante, tenían muñecas, camioncitos, grúas, bicicletas; aunque sus padres fueran de clase trabajadora. Además, pasaban mucho tiempo con la familia, sobre todo los fines de semana. No como en su tierra, donde los padres estaban continuamente fuera, no se unían a los niños en sus juegos, no eran otra cosa que figuras de autoridad. Pero en Bélgica era habitual reunir a un montón de niños en una casa los domingos y allí dedicarse a jugar, en las habitaciones o en el jardín. Hermanos, primos, amigos, montones de niños, todos jugando juntos.

Otro gran cambio que notaron era referente a la cultura, la afición por disfrutar de espectáculos culturales en familia. En Gante era costumbre ir con los niños al cine, a ver teatro infantil o a bailar. Y, claro está, Karmentxu Cundín volvería en más de una ocasión a aquel Balzaal de Vooruit. Allí bailaban los padres y los niños, todos mezclados. El salón de baile era la sede del Feestlokaal van Vooruit, el Sindicato Obrero de Flandes. Allí se organizaban actos dirigidos a los trabajadores: conferencias, proyecciones de cine, bailes. Incluso fiestas infantiles de cumpleaños. Cuando la vio de nuevo, a Karmentxu le pareció distinta aquella vidriera en la que se había fijado su primer día en Gante. Un grupo de hombres empuja un carro a la sombra de una orgullosa bandera roja. Y una mujer fornida tira de él con un niño en brazos. La rueda del porvenir, de la inminente libertad. No, a Karmentxu ya no le daba miedo aquella rueda.

Su hermano Ramón tampoco tuvo mala suerte con su nueva familia. Le tocó ir a vivir a casa de un hombre llamado Georges Roels. Al viejo Roels le gustaban las palomas. Tenía un palomar en el pequeño huerto de su casa y allí mismo las criaba.

—¿Enviáis mensajes? —pregunta Ramón al señor Roels, mientras este se ocupa de sus aves en el palomar.

—Algunas veces.

—Me encantaría mandar un mensaje a casa de mi abuela.

—¿Y qué le dirías? —inquiere el hombre, de espaldas, mientras sigue con su labor de limpieza.

—Que la echo de menos, pero que estoy contento.

El señor Roels suspira.

—Escríbelo en un papelito —le dice, tras un momento de silencio, trajinando con los brazos, sin volverse—, y lo ataremos a la pata de la paloma.

Ramón vuelve al momento del interior de la casa con un pedacito de papel. El chico escoge la más robusta de las palomas, y le atan el mensaje a una pata con un hilo. Papá Roels la coge en sus manos y la lanza al aire.

—¡Vete a Bilbao!

Mientras se aleja volando, Ramón la mira con ojos vidriosos. Cada vez que la paloma bate sus alas, al muchacho le brilla la mirada. Roels se pone de cuclillas. Sabe que el ave no tardará en volver, que su último destino será como mucho el propio tejado de la casa.

El joven Robert nunca antes había estado en el despacho del director del centro de enseñanza secundaria Ottogracht. Esa zona del centro estaba completamente prohibida para los alumnos. Aun en el mismo colegio, aquello era otro mundo, el coto vedado de los adultos, del poder. Para los alumnos era un lugar mítico: sobre el despacho del director solo se contaban habladurías, testimonios fantasiosos de algún mal alumno que lo había visitado a causa de un castigo.

Sobre las baldosas blanquinegras del largo pasillo, Robert oye el ruido de los zapatos de la secretaria que lo conducirá hasta el despacho. «Espera aquí.» Robert se detiene en el recibidor del despacho que dice: STUDIEPREFECT. Le dicen que se siente en un banco adosado a la pared. Se pregunta por qué lo habrán convocado. Dado que no ha hecho nada, está tranquilo. Pero sí que le asalta ese punto de nerviosismo que provoca la ignorancia. Sentado, se dedica a mirar las paredes del recibidor. Están decoradas con ebanistería fina de caoba, tal como se hacía en cierta época en los palacios de los mercaderes de Gante. Robert piensa en el papel pintado de las paredes de su humilde casa de la calle Ferrerlaan, construida con tablones de madera junto al cementerio. A la calle le pusieron ese nombre en homenaje al pedagogo barcelonés Francesc Ferrer i Guàrdia. El gobierno español lo acusó de ser uno de los responsables de la Semana Trágica de Barcelona, por lo que fue ejecutado, a pesar de las grandes protestas internacionales que demandaban su liberación. El mismo Anatole France escribió una carta pública en apoyo de Ferrer i Guàrdia, a la manera de aquel *J'accuse* que escribió Émile Zola con ocasión del caso Dreyfus.

Robert sigue observando; la elegante chimenea y el cuadro que hay sobre ella. El paso de los años ha envejecido la tela, estropeada por el polvo y el hollín. El cuadro muestra una escena de invierno. En primer plano, un hombre y dos mujeres conversan tranquilamente. Al fondo, un puente de dos ojos; por debajo, el río. A la derecha, en una esquina del cuadro, dos hombres se calzan sus zapatos. No, Robert se fija un poco, y no se trata de zapatos: son patines. El río parece congelado, y la gente patina sobre él. Llevan largas capas y sombreros de tres picos; parece una estampa del siglo XVIII, piensa Robert.

El cuadro le hace pensar en Herman. Su amigo es un pésimo patinador, no hay otro más torpe en todo el mundo. Y sin embargo, le gustaba perseguirlo sobre el hielo. Abrazarse mientras caían juntos al suelo, muriéndose de risa. En cierta ocasión se le cayó encima el enorme cuerpo de Herman. Quedaron frente a frente. Herman se le quedó mirando a los labios durante un instante. No quitaba los ojos de su boca. Fue un segundo muy largo. Luego se levantó y cogió del brazo a Robert.

—¡Vamos, arriba!

Nunca olvidaría aquella mirada de Herman.

—¿Robert Mussche? —lo llama la secretaria.

Entra por fin al despacho del director. Desde la ventana puede verse el trajín de coches y carretas en la calle. Le sorprende la actividad del exterior. Desde las habitaciones de los alumnos no se ve nada, su vista se limita a los patios interiores. Mientras mira hacia la calle, recuerda durante un instante cuando en Primaria, por haber sido el primero de la clase, lo pasearon por toda la ciudad en calesa. Partieron de su barrio y lo trajeron hasta el centro, y luego lo condujeron por las orillas de los canales. Era la extraña forma que tenían en aquel tiempo de premiar al mejor alumno. Y recuerda igualmente que, después de aquel largo paseo por la ciudad, le hicieron tumbarse y le cubrieron todo el cuerpo de libros, que serían los primeros ejemplares de su biblioteca. En lugar de cubrirlo de oro, lo hicieron de libros.

El director Feytmans estimaba a Robert; era un alumno aplicado, no uno de esos que se dedican a enredar en clase. Por lo general era el mejor del grupo. Cuando a los quince años, por una apendicitis, pasó aquella larga temporada en el hospital, Feytmans fue a visitarlo. Dijo las tres o cuatro frases que exige la cortesía, y volvió al instituto. No le había dicho nada especial, pero aquel gesto, que el director de la escuela se dignara visitarle, fue muy valorado por Robert.

Sus compañeros también acudían a visitarlo y, entre todos, el primero, el gran Herman. Cuando iban al hospital, sus amigos llevaban el aroma de los juegos, la respiración de la calle, y a Robert le encantaba aquel olor: echaba de menos la vida cotidiana. Aquel perfume mezclaba el sudor de los adolescentes y la frescura del invierno.

El señor Feytmans, con la palma abierta, indica al muchacho que se siente en la silla que hay frente al escritorio. Robert se queda mirando la mano: tiene los dedos cortos, la carne casi no deja ver su anillo de bodas. Se le ocurre que nunca podrá sacárselo.

—He sabido lo de tu padre.

—Podía haber sido peor. Al menos está vivo.

—La vida, a veces, tiene estas cosas...

El padre de Robert había sufrido un accidente en la fábrica de tejidos, y uno de sus pulmones había quedado muy afectado. Dejó el trabajo del taller, y ahora se las arreglaba para sacar algo de dinero vendiendo patatas fritas por la calle con la ayuda de un carrito; pero estaba claro que aquello no era suficiente para hacer frente a las necesidades de la familia.

El director Feytmans se levanta de su silla y se acerca a la ventana. Sigue hablando mientras observa la calle:

—La cuestión es que alguien tendrá que llevar a vuestra casa el pan de cada día.

—Así es —le dice Robert en voz baja, sin moverse de la silla.

—El director del Banco Nacional de Bélgica ha solicitado jóvenes capaces y diligentes. Tú serías muy apropiado para ese trabajo.

Cuando salió del despacho, Robert lloró de rabia. Por una parte, era cierto, iba a tener un trabajo con el que ayudar a su familia. Por otra, desgraciadamente, no podría seguir estudiando, terminar una carrera universitaria. No iba a poder cumplir aquel sueño que lo acompañaba desde la infancia.

Pero era consciente de que no podía rechazar la propuesta del director.

Tenía que aceptar aquella oferta, sus ambiciones no tenían tanta importancia. Su familia lo necesitaba, y él tenía que atender aquella necesidad. Recordó las largas conversaciones mantenidas con Herman durante los últimos años, surgidas al hilo de sus paseos por los canales.

—Robert, en tu opinión, ¿qué es lo que mueve el mundo? —le preguntó Herman en cierta ocasión—. Según Nietzsche, esa oscura fuerza es el poder; para Marx, se trata de la economía; y, según Freud, es el amor. ¿Quién tiene razón, según tú? ¿Qué es lo que nos hace vivir?

—¿Y a ti qué te parece? —le soltó Robert, a fin de ganar tiempo.

—Estoy de acuerdo con Nietzsche —decidió Herman, con seguridad—. Es el poder lo que mueve el mundo.

—Yo tengo mis dudas —se atrevió a objetar Robert—. Al principio he pensado que esa fuerza secreta era la economía... Además, ya sabes cuánto admiro a Marx.

—Sí, claro.

—Pero no, Herman. ¡Lo que nos hace vivir es el amor! Esa fuerza profunda es el amor. O eso quiero creer, al menos. En eso estoy de acuerdo con Freud.

Cuando sale del despacho del director, sin embargo, Robert no sabe qué pensar.

Michel Thiery, el padre de Herman, era un hombre popular en Gante. Aunque trabajaba como profesor, la fama le venía de sus trabajos en el campo del naturalismo. Fue uno de los pioneros de las investigaciones botánicas en Gante, hasta el punto de crear un pequeño museo con las plantas que recogió en sus viajes por el mundo. Era dueño también de una importante colección de libros de botánica recopilados a lo largo de los años. Tenía además diversas publicaciones a su nombre, compuestas por dibujos realizados en los bosques e investigaciones en las que invirtió largo tiempo. Como profesor, Michel Thiery era progresista y decidido, y le gustaba conocer y poner en práctica los últimos adelantos en el ámbito de la pedagogía. Organizaba salidas al monte con los chicos que tenía a su cargo, y a menudo incluso impartía sus clases en el bosque. Se llevaba a sus alumnos al museo y ellos colaboraban en el trabajo de laboratorio, midiendo y clasificando las plantas que acababan de recoger en el campo.

La procedencia social de Herman y Robert era muy distinta, es obvio, pero ideólogicamente ambos eran de izquierdas. La familia de Herman estaba bien situada en la ciudad, cultivaban costumbres burguesas, amaban la cultura. Se les notaba incluso en la manera de caminar, en cómo se disponían en la mesa a la hora de comer, en su forma de vestir, en los más pequeños gestos de la vida diaria. A Robert le gustaba esa elegancia y se esforzaba por imitarla en la medida en que podía. Y es que el origen de Robert era otro. En la calle Ferrerlaan hacían lo que podían. Aquella cultura que no pudo recibir en su casa, el muchacho la buscaba en cualquier lado.

A pesar de venir de un barrio pobre, o quizá por eso, a los padres de Herman les gustaba Robert, y a menudo lo invitaban a su casa. «Nunca tendrás otro amigo igual», le repetían sus padres a Herman.

Robert tenía el don de quedar bien con la gente: a los mayores les hablaba de una forma, a los chavales de otra. Sabía ponerse en el lugar del otro, algo difícil de encontrar entre los adolescentes. Ni que decir tiene que, cuando el señor Thiery les hablaba de alguna planta, Robert le prestaba atención, bastante más que Herman, que hacía gestos de estar aburriéndose. Como era de esperar, antes que volver a escuchar de boca de su padre las mismas cosas ya oídas mil veces, prefería andar por ahí con su amigo, fuera en el jardín o por la calle. «Papá, ya basta, deja en paz a mi amigo.» Tomaba a Robert del brazo e intentaba llevárselo. Aun así, Robert esperaba respetuosamente a que el señor Thiery terminara de hablar, así que Herman solía estar esperándolo en la puerta de entrada, sentado en la pequeña escalera de losetas.

Y también ahora su amigo lo esperaba, en el aula, nervioso, impaciente por saber lo que el señor Feytmans le había dicho.

—¿Te ha llamado para echarte la bronca?

—No. Me ha conseguido un trabajo en el Banco Nacional —le dice Robert, sin mostrar demasiada alegría.

—Eso es fenomenal. Tendrás un buen trabajo, dinero para tus gastos... —Herman se esfuerza para que Robert lo vea por el lado bueno.

—Y además no tendré que volver a hacer exámenes. Estudiaré solo lo que yo quiera: poesía, historia, literatura... No haré otra cosa que leer y leer los libros que me apetezca, y me olvidaré para siempre de esas aburridas asignaturas obligatorias.

Aunque con esa última frase Robert intentaba engañarse a sí mismo, Herman era consciente de que abandonar los estudios iba a ser un duro golpe para él. Se le notaba en los ojos que había llorado. Como luego escribiría Herman, Robert nunca se mostró envidioso porque su amigo hubiera terminado sus estudios universitarios y él no. «Veíamos juntos mis notas, e incluso me felicitaba si había sacado algún sobresaliente», dejó escrito.

3

Donde hay dos buenos amigos siempre suele haber un tercero.

El tercer amigo de Robert y Herman se llamaba Robert Brise. Compañero de clase en Ottogracht. Su pasión era la música. Tocando el piano era muy diestro. Robert y Herman se pasaban las horas oyéndolo tocar en casa de los Thiery. Por lo general, Robert le pedía que tocara alguna pieza de Beethoven.

—No ha habido en el mundo un compositor tan grande como Ludwig van Beethoven —le dice Robert con su habitual aplomo.

—Debussy y Ravel tampoco son mancos... —le contesta Herman.

—Que no te ciegue la moda del momento. Esos otros no tienen el vigor de Beethoven. Por encima de todo, él era un artista con dignidad. Ya sabéis que daba clases a personas influyentes. A condes y marqueses. Entre sus alumnos se contaba un archiduque de nombre Rainer. La cuestión es que el tal archiduque llegaba tarde a clase todas las tardes. Siempre hacía esperar a Beethoven. Hasta que un día el músico se harta. Es más severo que nunca con Rainer. No le deja pasar ni una. Si no toca bien, le golpea los dedos con la batuta. «Tenga un poco de paciencia conmigo», le ruega el joven. «Paciencia, la que he tenido para estarte esperando; pero se me ha acabado.» En adelante, el pobre Rainer fue muy puntual, según dicen. Y Beethoven, más mesurado en sus exigencias.

—Oye, Herman, tú también vas a tener que aprender a ser más puntual —le provoca Brise desde el piano.

—Y tú, a cerrar la boca.

—Pero fue aún mejor lo que le pasó con Goethe —sigue Robert, sin hacer caso de la disputa de sus dos amigos—. No se entendían bien. El escritor quería conocer a Beethoven, lo admiraba, intentaba ponerse en contacto con él, le enviaba melodías compuestas sobre poemas suyos, pero todo era en vano. No estaban hechos el uno para el otro. Según contaba Beethoven, en cierta ocasión en que ambos paseaban tomados del brazo, mira por dónde pasaron por allí la emperatriz y los príncipes. «Tranquilo, sigue hablando como si nada», ordenó el músico. Pero el poeta suelta el brazo de Beethoven y se queda a la espera de que llegue el séquito real. El músico atraviesa torpemente el grupo que acompaña a la reina: un leve gesto con el sombrero, y adelante. Los nobles saludan al compositor. Goethe, por el contrario, se hace a un lado, deja pasar a las autoridades, se quita el sombrero y comienza a hacer reverencias. «No se merecían tanto —le dice Beethoven, con expresión severa—. Pueden ordenar que se haga cualquier cosa: barcos, palacios, armas; pero nuestro cerebro, no; eso no pueden fabricarlo.» Goethe nunca le perdonó la osadía.

—¡Mira por dónde! ¡Otro revolucionario! —dice Herman.

—Beethoven me gusta, pero prefiero a Mozart: es el que más cerca está de la perfección —tercia Brise.

—Es cierto —asiente Robert—, y Beethoven también lo aceptaba. Era consciente de que estaba por debajo de Bach y de Mozart.

—De joven quiso tocar con Mozart en un mismo concierto —aporta Brise desde el piano—, era su sueño, pero el maestro de Salzburgo no aceptó. Al parecer, no quería tener músicos jóvenes a su lado. En su tiempo, aquel rechazo hizo mucho daño a Beethoven.

—De todas formas —quiere disculpar Robert al músico—, hay que reconocerle que al cabo de los años aprendió a perdonar. Siempre aceptaba públicamente la genialidad de Mozart. Aunque creía que Mozart había sido un niño mimado, que su padre, Leopold, le había enseñado desde pequeño qué era lo que tenía que hacer, que lo había conducido no solo en el mundo de la música, sino también en la vida. Beethoven, en cambio, fue completamente autodidacta. No tuvo ninguna protección especial de su familia.

—Vamos, Brise, tócanos algo —le ordena Herman, apoyando su cabeza en el respaldo—. Estáis hablando demasiado, como de costumbre.

Brise empieza a tocar la segunda parte de la sonata para piano Opus 27, llamada *Claro de luna*. Ese título nunca ha sido del gusto de Robert; se lo puso el poeta Ludwig Reelstag, muchos años después de la muerte de Beethoven. Para Robert, aquella música es mucho más que la imagen de un claro de luna, no le place ese tipo de belleza. En su opinión, la melodía expresa un gran vacío, la gravedad del ser, el cansancio.

Cuando oía a Robert hablar sobre Beethoven, Herman se quedaba maravillado. Aún más cuando comprobaba cómo se emocionaba al escuchar las notas que tocaba Brise.

El 16 de marzo de 1945, Vic Opdebeeck escribió en su diario:

> Querido:
>
> Acabo de llegar a casa, después del concierto de Beethoven. He oído la Octava Sinfonía. ¡Este

hombre es un verdadero genio! Su música me ha emocionado y me he echado a llorar. Me he acordado de ti. Tenías que haber estado a mi lado.

¿Dónde estás, cariño?

4

El sueño de Robert, al menos así se lo había confesado a Herman más de una vez, era andar libre por el mundo, sin ninguna atadura. Viajar a América del Sur y conocer aquellos parajes, las huellas de las antiguas civilizaciones, las selvas interminables. En cuanto a la paternidad, no sentía la ilusión de tener niños. Íntimamente, le tenía incluso miedo a ser padre, a tomar sobre sus hombros semejante responsabilidad. Temía perder la poca libertad que le quedaba, le daba pena derrochar esas escasas horas que destinaba a la cultura, a la lectura. En cualquier caso, la pequeña Karmentxu Cundín, la chiquita de casi nueve años llegada de Bilbao, disipó todos sus temores de la noche a la mañana. Lejos de quitarle tiempo libre, Karmentxu le ayudó a crecer como persona; en todas aquellas horas que pasó con ella, se dio cuenta de que, a cambio de lo que daba, recibía siempre el doble. «"Eres alegre, y contagias a la gente tu alegría; no existe mayor bendición que esa", le dijo una vez Beethoven al joven Liszt. Pues mira, a nuestra casa no ha llegado mayor bendición que Karmentxu», confesaría Robert unos años después.

De todos modos, debido a su trabajo en el banco, era sobre todo August Mussche —el padre de Robert— quien se ocupaba de ella. El hombre había revivido desde que la niña estaba en casa. Se diría que su enfermedad había remitido; parecía mucho más joven mientras iba por la calle con Karmentxu y, dejando a un lado su seriedad habitual, corría con ella como si también él fuera un niño.

En los cálidos atardeceres de junio que el viento del sur dibuja con destreza, el juego preferido de la niña es vender patatas fritas. Bajo la mirada del abuelo August, aferrada al carrito, permanece al acecho; y siempre es la primera en preguntar qué desean a cuantos se acercan. Casi no deja trabajar a August. «Tú sigue friendo», le ordena, con las palabras y los gestos de *clown* serio que suelen adoptar los niños de su edad. Se pone el delantal, y hace de buena empleada. De empleada y de jefe. Ella les entrega el cucurucho, y a veces incluso les cobra. Se despide diciéndoles: «Muchas gracias. Vuelvan pronto.» Los clientes más agradecidos le responden con una sonrisa.

Como en este momento no hay ninguno, la

niña se aburre y pone sus manos sobre las patatas fritas. Haciendo gestos con su tenedor, August le dice que no sise más, que esas que ya están fritas son para venderlas. Al poco tiempo, sin embargo, le ofrece un buen montón. «Se estaban enfriando», bromea. Mientras la niña se las come, August le acaricia la mejilla y le promete: «Algún día te prepararé kilos y kilos de patatas, para que comas hasta que te hartes. A ver si así te sacias de una vez.»

August conversaba mucho con Karmentxu. Creía que a los críos había que hablarles todo el tiempo para que aprendieran a expresarse como es debido, tomaran conciencia de los diversos niveles de la lengua y, de esa forma, supieran cómo salir airosos en cualquier circunstancia de la vida. Así fue como August le contagió su afición al ciclismo y fue él, también, quien le enseñó a andar en bicicleta, sujetándola por la espalda en la larga calle enfangada de Ferrerlaan. Le pidió una bici a algún vecino, y se las arregló para enseñar a Karmentxu a montar. August sabía mucho de ciclismo. En marzo se corría la Gante-Wevelgem, una prueba de aficionados, de un solo día. El gentío había llenado las calles de la ciudad para ver a los corredores. Uno de ellos, de un pequeño pueblo cercano a Gante, era el preferido del abuelo, Robert van Eename, muy delgado y con orejas de soplillo. Corría como el rayo sobre las dos ruedas. Solía ser el primero en ascender el macizo de las Ardenas. El abuelo le hablaba sin parar de las hazañas de Van Eename, pero la niña, como es natural, ponía más atención en cómo mantener los pies en los pedales.

También iban al cine, una vez a la semana, expresamente a ver dibujos animados de Disney; o, si no, películas mudas de Charlot. A Karmentxu le encantaba el personaje. Le gustaba disfrazarse de él en casa, con el sombrero del abuelo y el bigote pintado. August siempre hacía de malo, así se lo ordenaba sin falta Karmentxu. Solía ser el policía que perseguía a Charlot, y era quien se llevaba los peores palos.

En las Navidades de 1938, Karmentxu recibió un regalo especial. En Gante, el día de los obsequios navideños es el 5 de diciembre, mucho antes del día de Navidad. Los regalos los trae un genio llamado Sinterklaas, y los deja junto a los zapatos de todos. A Karmentxu, aquel año Sinterklaas le trajo una bicicleta. Tenía colgado un papelito en una de las alforjas: «Para Karmentxu, nuestra pequeña Van Eename.»

Entre todas las fotos que he visto de aquella época, la única en la que la niña sonríe es esa en la que posa sobre la bici; en todas las demás aparece con el semblante serio, pensativa.

Herman acostumbraba a viajar a Inglaterra todos los veranos. Pasaba tres o cuatro semanas en casa de los Ceunnis, una familia originaria de

Gante que se había mudado hacía años a la zona de Hitchin. Gérard Ceunnis era amigo de Michel Thiery desde su juventud y acogía con mucho gusto a Herman en su casa, a petición de su padre, a fin de que el joven aprendiera inglés. Durante el verano de 1929 Herman no paró de hablar de su amigo Robert, que si juntos hicieron tal o cual cosa, que si también él estaría a gusto allí mejorando su inglés. Tanto habló el muchacho a los Ceunnis acerca de Robert que, al año siguiente, el verano de 1930, también invitaron a Hitchin al amigo de Herman. Pasó allí quince días, en una elegante mansión de Gosmore Road llamada «Salve».

La hija de la familia se llamaba Vanna. Tendría poco más o menos la edad de Robert. Si atendemos a la foto que ella le regaló, era una chica de gran belleza. En el retrato tiene ojos despiertos, labios bien perfilados. El pelo corto. Una chica muy elegante, a todas luces. Lleva una blusa blanca y un collar de perlas. Una mujer refinada. Muestra una mirada inteligente, enérgica. Una muchacha como para enamorar a cualquiera.

Eso fue lo que le pasó a Robert. Y así se lo contó a Herman por carta; que el viaje a Inglaterra le había cambiado la vida, que no podía apartar de su mente la imagen de Vanna: «Junto a la ventana, con la mano, esa mano tan hermosa, apoyada en el cristal. Y los rayos del sol en sus ojos azules.» Robert la miraba sin cesar, pero sin atreverse a nada más.

Vanna no era tan romántica como Robert. Se encontraban a gusto juntos, sobre todo cuando hablaban de literatura. La chica era muy leída y planeaba estudiar letras en la universidad. Pero Vanna no se limitaba a eso. Sus inquietudes iban mucho más allá, era una chica muy activa.

Un día al alba, mientras Robert duerme en su habitación, Vanna le silba desde la calle. Robert se acerca a la ventana, y allí está ella, en su motocicleta.

—¿Vienes?

Robert nunca ha montado en moto. Al principio duda, por pura vergüenza, pero luego acepta.

—¡Agárrate fuerte a la cintura!

Y, cogido a su estrecho talle, Vanna se lo lleva a recorrer los sinuosos caminos de Inglaterra. El viento hace volar la blusa de la chica. Robert puede sentir la cintura de Vanna con sus manos. La agarra de forma titubeante, como si no quisiera hacerle daño. Vanna, en cambio, es segura, coge las curvas con total confianza, inclinando el cuerpo y echando la moto a uno u otro lado. La prudencia de Vanna deja muy sorprendido a Robert. Y la admira por ello.

Esta es la respuesta que tuvo la carta que Robert escribió a Herman: «Ni pensarlo, Vanna es mía.» También Herman, el año anterior, había caído completamente enamorado de ella y la quería para él.

Sin embargo, Vanna no era para ninguno de los dos. No dijo que sí ni a uno ni a otro. Se casó con un chico de Inglaterra. Y, según una carta que envió a Robert en 1940, sabemos que por la época su marido estaba en el frente, en la Segunda Guerra Mundial, con el ejército británico.

Desde entonces no se ha vuelto a saber nada de Vanna.

Ya al final de la quincena, Vanna le regaló un libro a Robert. Su autor, Matthew Arnold, y su título: *Essays in Criticism*. Lleva una dedicatoria: «*Just an old book I am very fond of and thought you might enjoy reading. Very Best Wishes. Vanna.*» Y, subrayado, este pasaje: «La humanidad será cada vez más consciente de que necesitamos volcar nuestra atención en la poesía para interpretar la vida, para buscar consuelo, para llenarnos de sentido. Sin poesía, la ciencia se queda a mitad de camino.»

Robert estuvo pensando en esas líneas que le había resaltado Vanna, ya en el barco de vuelta, mientras miraba las olas. ¿Qué quería decirle Vanna con aquellas palabras? ¿Se refería a la poesía, o a su carácter demasiado estricto?

Robert no podía quitarse de la cabeza su estancia en Hitchin. Tanto lo había turbado Vanna que a la vuelta de Inglaterra se habría dicho que su ánimo aún estaba allí, como si no hubiera regresado del todo. Así lo constató por escrito Herman al recordar aquellos días.

Como acostumbran a hacer los domingos por la tarde, Robert y Herman van juntos al cine. Ven una de acción, sin pensárselo mucho. Y, después del cine, van a tomar algo a la cafetería Der Anker.

—Esa película de aventuras me ha dado sed —dice Herman, echando hacia atrás su cuerpo—. Voy a pedir un buen vino, un oporto.

—Yo no necesito algo tan rimbombante. Tomaré solo un té. Como hacíamos en Inglaterra —le dice Robert, con un aire de misterio.

«Pobrecillo, ya se le pasará», piensa Herman.

Y he ahí que llega la camarera, con su jarra de leche y sus cucharillas de plata, y sus elegantes tazas y teteras.

—El *señorito* tomará un simple té. No nos va a salir más barato que el oporto —le pincha Herman—. Yo seré un arrogante, pero tú eres un fatuo.

Los domingos, al cine. Películas de aventuras de Emil Jannigs; *La dama de las camelias*, con Norma Talmadge; *Amantes*, de Alice Terry. Era la edad de oro del cine mudo. Por entonces Emil Jannigs era una gran estrella, el héroe habitual de las películas de entonces; pero al llegar el sonido no fue capaz de adaptarse y quedó marginado; no sabía actuar con la voz. Cuando, además, se extendió el rumor de que había colaborado con los nazis, no volvió a encontrar trabajo.

Cada vez que iban al cine, Robert siempre se levantaba antes de que terminaran los títulos de crédito. Solía ser el primero en salir. Cuando barruntaba que la película estaba a punto de acabar, se marchaba. Herman no, a él le gustaba esperar hasta el último momento, hasta que se encendían las luces y salían todos los espectadores. Cuando el final había sido bueno, se quedaba pensativo, quizá deseando prolongar el placer. Y si el final de la película era malo, la razón de quedarse en la butaca era otra, como si quisiera darle una segunda oportunidad. Tanto en unos casos como en otros, Robert siempre lo esperaba fuera, dibujando espirales con el humo de su cigarrillo.

5

Otra de las familias que acogieron a niños de la guerra fue la de Aline. Era una persona muy especial, una mujer valiente y respetada en los ambientes progresistas de Gante.

Robert y ella se conocían desde hacía mucho tiempo. Aquella revolucionaria y naturista tenía una hija y un hijo pero, cuando supo del viaje del *Habana*, acogió a un tercero: el bilbaíno Graciano del Río. Graciano terminó sus andanzas en México: como consecuencia de la Segunda Guerra Mundial, tuvo que abandonar Gante y huyó al otro lado del Atlántico, donde residiría a partir de entonces.

De vez en cuando, Robert y Aline cogían la tienda de campaña y se iban a pasar el fin de semana al monte con todos los niños. Karmentxu y Graciano coincidían a menudo, de modo que se hicieron compañeros de juegos.

—¿Sabes, Karmentxu? —le dice Graciano mientras juegan dentro de la tienda—. Aline suele andar desnuda por la casa.

—¿Sin nada de ropa? —pregunta Karmentxu, desconfiada.

—Sin nada de nada. ¿Nos desnudamos también nosotros? —le suelta, sin pensárselo dos veces.

—¡Sí, hombre! —se niega Karmentxu, un poco con sorpresa, un poco con asco, y sale corriendo de la tienda de campaña.

A los padres de Robert no les parecían apropiadas aquellas costumbres tan modernas de Aline. «Vaya gente más rara», le había oído decir a su madre comentando aquello del nudismo. Tampoco les parecía bien que Karmentxu los frecuentara, pero Robert no les hacía caso, le gustaba quedar con ella. Era una mujer impetuosa, un poco alocada pero con mucha vida, y parecía que Karmentxu se llevaba bien con Graciano. Así las cosas, ¿por qué iba a poner trabas a su amistad?

Durante aquellos días de camping, mientras caminaban por los senderos, Robert, Aline y los niños marcaban el paso entonando canciones de la República española. Marchaban en fila india, uno detrás de otro, el batallón de los inútiles soldados de buen corazón. Así llegaban a la cima en un suspiro, casi sin darse cuenta.

Carmen, la hija de Robert, me enseñó la biblioteca de su padre en noviembre de 2011. Había reunido todos aquellos volúmenes en una casa que tienen a las afueras de Gante, en un pueblo llamado Lochristi, y reservó toda una sala para guardar y ordenar los libros de su padre. La casa de Lochristi pertenecía a la familia del marido de Carmen desde hacía más de cien años. Construida a principios del siglo xx, era la vivienda del médico del pueblo. En cierta época hubo incluso una cervecería en la planta baja. Marc, economista retirado, es un hombre culto y amable. Llovizna, así que vamos corriendo desde el coche hasta la puerta de entrada.

En el recibidor, en una pequeña pizarra infantil, una frase en latín: *Non vestra, sed vos.* Es decir: «No lo que tienes, sino lo que eres.» Me cuentan que la vieron en un viaje, grabada en el umbral de una casa cural, y que a partir de entonces ha sido su lema. Pasamos a la sala de estar. Tiene altos ventanales, bonitos espejos, un piano de cola. Allí tomamos café, antes de ponernos a trabajar.

—Esta casa es demasiado grande para dos personas, hace frío —me dice Marc—. Antes éramos un montón de gente, pero ahora ya no. Muchas veces hemos pensado dejarla y buscar un apartamento en el centro de Gante para nosotros dos, con vistas a los canales. Pero me da pena abandonar la casa que construyó mi abuelo.

Luego me llevan al piso de arriba, que alberga la biblioteca de Robert Mussche.

—Voy a dejarte solo, yo estaré en la habitación de al lado —me dice Carmen—. Creo que los libros hay que mirarlos a solas.

Ella se dedica ahora a organizar los papeles de su padre, las cartas apiladas en cajas, las fotos, los documentos. Empiezo por echar un vistazo a las estanterías, admirado por el tamaño de la colección. Están incluso los libros que adquirió siendo joven. Los hay escritos en flamenco, francés, inglés, alemán y español. Poesía, ficción, pensamiento, filosofía. Inesperadamente, encuentro también uno que habla del País Vasco: *El dolor de Euzkadi*, de Pedro Basaldúa. Publicado con fines propagandísticos por el gobierno vasco en 1937. Entre otras muchas cosas, aparece en él un poema de Estepan Urkiaga, «Lauaxeta»:

Ikaraz duaz usuak,
mendija dago ixillean.
¡Amar gasteren lerdena
bixitza-barik lurrean!

Las palomas huyen despavoridas
y la montaña guarda silencio.
¡La gallardía de diez muchachos
yace sin vida en el suelo!

El poema lleva una nota al margen, que relata el fusilamiento del poeta en el cementerio de Vitoria.

Bertrand Russell, George Orwell, Robert Louis Stevenson, Herman Melville, Johann Wolfgang Goethe, Friedrich Schiller, Miguel de Unamuno, Michel de Montaigne, Willem Kloos, Pío Baroja, Karel van de Woestijne, Miguel de Cervantes, Federico García Lorca..., Robert tenía una hermosa colección en su biblioteca. Pero me llama la atención un libro de fotografías: *Las fotos prohibidas de la Primera Guerra Mundial.* Es una edición de las instantáneas que tomó en la época el ejército alemán: patíbulos y ahorcados, mujeres violadas, niños muertos en las cunetas. Al lado de ese libro está, y lo saco de la balda, un libro de memorias de Robert Graves: *Adiós a todo eso.* Graves participó en la Gran Guerra, en el regimiento de los Reales Fusileros de Gales. Lo destinaron a Francia, a la guerra de trincheras. Allí fue a reunirse, entre otros, con los escritores Siegfried Sassoon y Thomas Hardy. Posiblemente se encontró con la mejor generación de autores ingleses, justo en medio de una guerra atroz. Graves relata anécdotas graciosas, y también otras violentas, las más terribles. Fue entonces cuando se empezó a usar el gas. Primero los alemanes y luego los británicos. Cloro. Quien lo respiraba sufría una hemorragia pulmonar, y se ahogaba entre sufrimientos insoportables. A los escritores les parecía intolerable que también los británicos, los presuntos guardianes de la civilización de Occidente, utilizaran medios tan crueles.

Leo al azar algunas páginas del volumen, hasta dar con las que se refieren a Siegfried Sassoon. En ellas Graves cuenta que unas horas antes de entrar en combate, Sassoon se llevaba a los soldados bajo su mando al bosque y allí les leía pasajes humorísticos de las revistas, en lugar de arengarles con la patria y el rey. Y que, en otra ocasión, estando en el frente, se empeñó en domar una yegua negra, y de tanta belleza como mal carácter. Al parecer, montaba en ella y la conducía junto a una valla bastante alta, con intención de que la saltara. La valla debía de medir un metro y ochenta centímetros. La yegua se acercaba al obstáculo, sí, pero al llegar ante él se detenía. Otra vez llevó la yegua a la valla, y otra vez se paró. Pero Siegfried no se enfadaba, no la golpeó con su fusta. En lugar de eso, lo volvió a intentar con paciencia una y otra vez, y finalmente logró que la yegua saltara al otro lado.

Sassoon se hizo popular por haber escrito una carta pública titulada «Terminar con la guerra: declaración de un soldado», en la que denunciaba la falta de criterio de las autoridades y sus mentiras, y decía que quienes realmente estaban sufriendo eran los soldados de las trincheras, que luchaban sin saber muy bien por qué lo hacían. Graves recoge en su libro el texto íntegro de la carta. Sin embargo, se muestra crítico, no con su contenido, sino con los intelectuales pacifistas de butaca que lo impulsaron a escribirla. Sassoon lo pagaría muy caro: recibió un castigo militar y, según Graves, su cuerpo se encontraba demasiado débil para soportar una estancia en la cárcel. No merecía la pena aquel esfuerzo. Más allá de las ideas, Graves veía a su amigo.

Pregunto a Carmen Mussche por estos dos libros, y por la influencia que tuvo la Primera Guerra Mundial en Robert. Carmen saca una foto de un viejo sobre de papel. «Fíjate bien en lo que lleva en el pecho.» Prendida en la chaqueta, Robert llevaba una insignia en la que aparecían dos manos rompiendo un fusil por la mitad. Carmen me aclaró que, de joven, Robert, como muchos otros por aquel entonces, había pertenecido a la Liga Contra la Guerra, y que en aquella época nunca se quitaba la enseña. En efecto, aquel conflicto dejó una huella sombría entre los flamencos. Las tres sangrientas batallas de Ypres generaron un amargo sentimiento contra la guerra. En ellas murieron miles de personas.

Tampoco lo pasó bien Robert cuando cumplió el servicio militar, aunque lo hizo en el mismo Gante. Durante una temporada estuvo ingresado en el hospital de Beverlo, por una neumonía, y en esa época escribió una carta a Herman en la que le decía que todo iba bien, pero que no congeniaba con los soldados valones; no era que entre ellos hubiera animadversión, le decía, y tampoco rabia, pero no se sentía a gusto con ellos. En aquel tiempo, en Bélgica el francés era la lengua de la cultura, y el flamenco la de los trabajadores. Por eso, los periódicos de las organizaciones obreras se publicaban en flamenco, y muchos intelectuales de izquierdas optaron por él, aun sin ser nacionalistas. Robert estaba ingresado con neumonía por haber estado caminando por el bosque una tarde de tormenta. Le encantaban los días de tormenta, sentir en su cara la lluvia y el frío.

Lo mismo que a Ludwig van Beethoven. Cuando estaba componiendo, al maestro le gustaba pasear, si era bajo la lluvia mejor aún, porque así se le aclaraban las ideas. En su vejez, estando ya sordo, Beethoven iba cantando por los prados. Una vez, un campesino que intentaba poner el yugo a sus vacas se quejó. Al ver a aquel hombre que cantaba y agitaba los brazos, las vacas se asustaron. Se liberaron del yugo y huyeron monte arriba. El campesino se puso a gritarle sus quejas, pero Beethoven no se enteraba de nada. Al cabo de unos días los labradores de la zona se tranquilizaron al enterarse de quién era aquel loco que paseaba por los prados cantando y agitando los brazos, y a partir de entonces no le hicieron ningún caso. Las vacas tampoco: levantaban un poco la cabeza, veían al loco y seguían pastando.

Estando en el hospital, Robert vivió una desagradable situación, y así se lo escribió a Herman.

Hacía un par de noches, un murciélago se había colado en la habitación del hospital y se había escondido en algún lugar. Al atardecer empezaba a volar, gira que te gira, por el techo de la habitación. Los soldados aguantaron la primera noche, pero en la segunda su rabia estalló y se propusieron atraparlo. Los soldados hacían un nudo a sus gorras militares y las arrojaban como si fueran pelotas contra el animalillo. El murciélago aguantaba bien los ataques de los soldados, de una u otra forma conseguía evitar las gorras que le lanzaban. Así se pasaron dos horas, tirando gorras al aire entre gritos y saña.

Robert se sentía asqueado. Les rogaba que pararan, que dejaran al bicho en paz. Pero era en vano. Aquellos hombres querían cargarse al murciélago costara lo que costase. Y, en eso, el animal se cansó de tanto volar y se posó en el suelo. Los soldados dieron vivas y vítores. Pero cuando uno de ellos iba a cogerlo, entró en la habitación el vigilante del hospital, deseando saber a qué se debía aquel follón.

El vigilante cogió el murciélago y lo metió en una jaula; lo soltó al atardecer del día siguiente, libre en la noche ancha y profunda.

Carmen me llama desde la otra habitación y me dice que ha encontrado algo entre los papeles de su padre. Es un brazalete con la bandera de la República española. Robert se lo ponía en el frente de Cataluña. Y también, más adelante, cuando todos los domingos daba clase a los niños de la guerra.

—¡Es una maravilla!, nuestra madre lo guardó absolutamente todo.

6

Granollers, 31 de mayo de 1938. Tan solo hace dos días que Robert esta allí. A las nueve en punto de la mañana se oye el rugido de los aviones. A las nueve y cinco el pueblo está destruido. De una sola pasada, los bombarderos italianos Savoia-Marchetti S.79 lo dejan todo en llamas. Ha sido cuestión de un momento, ha durado lo que un breve temblor, un instante homicida.

A Robert el bombardeo lo pilla en medio de la calle. Para cuando puede darse cuenta, todo cuanto tenía alrededor está destrozado. Abajo el suelo y arriba el cielo. En la casa que tiene justo enfrente, entre los escombros, bajo los cascotes, tablas y hierros, alguien está gritando. Aparta un sombrero, unos platos rotos, un viejo reloj agrietado, intentando hallar algún rastro de la persona. Robert sigue oyendo los gritos, busca al hombre con la intención de salvarlo, pero no puede hacer nada.

De repente, barullo y agitación en la calle, grupos de rescate, ambulancias, policía. Gente que corre a derecha e izquierda. Entre todo aquel estruendo, Robert solo oye los quejidos de aquel hombre apresado entre los escombros.

Los lamentos cesan un instante, suena un estertor en su boca, se ahoga a causa del polvo que ha tragado. Luego, el silencio. «Ha muerto. Se ha muerto delante de mis narices y ni siquiera me he movido.» Robert sufre, siente dolor en todo el cuerpo. Y después, asco. Se maldice. ¿Qué hago yo aquí en medio de la calle? ¿Por qué no he quitado ni un solo tablón? ¿Por qué yo puedo mover libremente mis brazos y mis piernas, y ese que está bajo los escombros no puede?

Robert se duele de su impotencia. Nunca hasta entonces ha visto morir a una persona tan cerca. ¿No podía hacerse nada para salvar a aquel hombre? Se acuerda del murciélago del hospital. Él tuvo suerte al fin y al cabo, el vigilante del hospital lo liberó y salió con vida. Pero tampoco entonces hizo nada. Estuvo mirando, balbució algunas palabras, y nada más. No hizo frente a aquellos cinco soldados enloquecidos. Y ahora, en Granollers, en uno de los ataques contra civiles más graves de la Historia, no ha sido capaz de salvar a ese hombre que pedía auxilio. 224 muertos y 161 heridos en un solo minuto. Maldice a los aviones. Alguien pagará por estos crímenes.

Robert tendrá la misma sensación cuando,

unos años más tarde, muera su padre. Veinte años llevaba luchando contra la enfermedad. Veinte años desde que tuvo el accidente en la fábrica. Veinte años respirando a duras penas. Aquel hombre de firme carácter, en otra época fuerte y grueso, en sus últimos años se volvió tan frágil como un pajarillo. Así lo vio apagarse Robert, muy poco a poco. Hasta que un día dio un hipido, y dejó de respirar para siempre. «En una situación normal, mi padre hubiera vivido mucho más tiempo», le escribió Robert a Herman. Pero le tocaron una vida y unas condiciones de trabajo muy pesadas.

Cuando tomó la mano fría de su padre, Robert se prometió a sí mismo: «Que esta muerte no sea en vano, que no vuelva a pasar algo así.» Lo mismo que pensó en Granollers, allá en mitad de la calle, arrodillado, con los puños apretados y mirando al cielo.

Theatre Royal. 22 de febrero de 1938. Las luces se apagan. Robert y Karmentxu están sentados en butacas contiguas. Se levanta el telón. Se trata de una actuación del grupo Eresoinka de canción y danza vasca. El teatro está lleno hasta la bandera. Han acudido todos los niños de la guerra, acompañados de sus padres. Los bailarines aparecen en el escenario. En primer lugar bailan la *kaxarranka*, un baile de pescadores de Lekeitio que se ejecuta el día de San Pedro; el danzante baila sobre un gran arcón que custodia los archivos de la cofradía. Al ver aquellas camisas azules y pañuelos de cuadros, Karmentxu se acuerda del puerto de Santurce. Luego, con su entendimiento de ocho años, se pregunta cómo hará el bailarín para posarse y brincar en un espacio tan estrecho, para no tropezar y caer desde allá arriba. Sigue el baile con inquietud, mirando fijamente los pies de aquel hombre sobre el arcón y, de vez en cuando, las caras de cansancio de los bailarines que sujetan el arca, que se mueve continuamente. Temiendo y deseando al mismo tiempo que el danzante se caiga de allí arriba. Entre todas las danzas, a Karmentxu le gustan sobre todo la *kaxarranka* y la *ezpatadantza* o baile de las espadas, especialmente el momento en que el chico más joven es alzado sobre los hombros y los danzantes mayores cortejan al pequeño, mientras las espadas relucen con las luces del escenario.

Mediado el espectáculo, la coral entona una canción de cuna:

Haurtxo txikia sehaskan dago
zapi zuritan txit bero.
Txakur handia etorriko da
zuk ez baduzu egiten lo.

Amonak dio, ene potxolo,
arren egin ba, lo, lo.

Horregatik ba, ene potxolo,
egin agudo lo, lo.

El niño chico en su cuna,
caliente entre paños blancos.
El perro grande ya viene
si no te duermes.

La abuela dice: cariño mío,
duérmete ya, por favor.
Que viene el perro, cariño,
duérmete enseguida, amor.

Este *Haurtxo txikia* («Niño chico») debe de ser, en cuanto a la melodía, una de las más hermosas canciones de cuna. Pero esa belleza esconde también una velada amenaza. El niño reposa tranquilo entre paños blancos; pero en el tercer verso surge la intimidación: un gran perro vendrá a por él si no se duerme. Federico García Lorca dijo en una conferencia que las imágenes que aparecían en los cantos de cuna vascos no eran tan duras, que eran más bien poéticas, pero me parece que no es del todo cierto. Hay otra nana, titulada *Loa-loa*, que dice así: «*Aita gureak diru asko du, ama bidean salduta*» («Padre tiene dinero a espuertas, que vendió a madre por el camino») o, en otra versión, «*Aita zurea tabernan da, ama etxean utzita*» («Padre está en la taberna, y dejó a madre en casa»). Y, entre canción y canción, parece que a

Karmentxu no la ha atrapado el perro grande, porque se queda dormida antes de que Robert se dé cuenta, y no vuelve a despertarse hasta la salva final de aplausos.

Robert Mussche guardó el programa de mano que aquella noche repartieron en el teatro. En él se recogen todos los datos del espectáculo: las danzas, las canciones y los nombres y apellidos de los participantes. Introduzco «haurtxo txikia» en el buscador de Internet, y me encuentro con una grabación de Eresoinka de aquella época. La voz es de Pepita Enbil. Se me pone la carne de gallina. Pepita Enbil era la madre del tenor Plácido Domingo, que recorrió Europa dando a conocer las costumbres y la cultura del País Vasco. También el cantante Luis Mariano tomó parte en la gira. Fue una especie de embajada cultural. Bajo la dirección de Manu de la Sota, delegado del gobierno vasco, se reunieron diversos artistas, bailarines y cantantes en aquel proyecto. Según el programa de mano, ilustrado con imágenes de la escenografía del pintor Antonio de Guezala, en Gante la Orquesta Sinfónica de Bruselas acompañó a Eresoinka.

He encontrado también, en la red, fotografías de la gira. En una de ellas se ve a los artistas en uno de los puentes de los canales, más de veinte personas. Llevan abrigo, y en la cara se les nota el frío invernal del mes de febrero. Hay bruma en la superficie del agua. En otra foto aparece el cartel de la actuación, colocado en el escaparate de una chocolatería.

En 1937 Robert preparó un cuaderno de dictados para las clases dominicales que organizaban para los niños en la calle St. Nievens. Un día a la semana reunían a todos los niños de la guerra, con la intención de que no se cortara del todo el cordón umbilical que los mantenía unidos entre sí y con su tierra natal. Robert daba clases de castellano. En el cuaderno aparecen frases de los autores de su biblioteca, escogidas por él aquí y allá. Abría los libros de sus escritores favoritos y copiaba los pasajes elegidos. La lista de autores es larga: se recogen reflexiones de, entre otros, Montesquieu, Goethe, Victor Hugo, Zola, Schiller, Tolstoi, Hume, Carlyle y Auerbach. El cuaderno es pequeño, cuadriculado, de esos que usan los estudiantes.

Al ir hojeándolo leo estas tres frases de Safo:

«Ante el odio, nada mejor que el silencio.»

Y más abajo:

«Una persona bella solo lo es mientras la ven los demás, pero una persona sabia lo es incluso cuando nadie la ve.»

Y por último:

«Si la muerte fuera buena, los dioses no serían inmortales.»

7

En un sobre encontramos las fotos de una excursión al zoológico. Robert aparece junto a los alumnos de la escuela dominical.

Pregunto a Carmen Mussche de qué zoo puede tratarse, pero no sabe contestarme. Su marido Marc coge la foto y nos lo aclara enseguida:

—Es el zoológico de Amberes.

—¿Cómo lo has reconocido?

—Tiene ornamentos de estilo egipcio.

Las fotos no están fechadas, pero si reparamos en su vestimenta podemos deducir que debía de ser primavera, la primavera de 1938. Niños en el zoo de Amberes, mirando a los leones, a los monos, a los leones marinos. Después de haber visto todos los animales, a la salida se encontraron con una caja vacía. Dentro de la caja había un espejo. Y sobre el espejo, esta frase: «El ser humano, el animal más peligroso que existe.»

En casa los esperaba el abuelo August. Había preparado un gran montón de patatas para que la niña se las comiera a la vuelta. Las guardó en el horno, cientos y cientos de patatas fritas. Pero Karmentxu tenía otros planes y no llegó a cenar a su hora. Se quedó jugando en la calle con Graciano, y se le hizo tarde.

Cuando Robert llega de la excursión, su padre le pregunta por Karmentxu.

—Me ha dicho que no tenía hambre —le contesta Robert—, que se quedaba en la calle con Graciano.

Cuando Karmentxu llega por fin a casa, el abuelo abre el horno y le muestra las patatas. Kilos de patatas, patatas sabrosas, relucientes, pero para entonces frías. Karmentxu intenta comérselas, por no dar un disgusto al abuelo, pero no puede con ellas. Cuando se ha comido una cuarta parte, tiene que rendirse. Luego se va a dormir.

Robert lleva a los niños a la catedral Sint-Baafs, a ver la obra cumbre de la pintura flamenca: *La adoración del cordero místico* o *El políptico de Gante*. Los hermanos Hubert y Jan van Eyck lo remataron en la primavera de 1432. Se trata de un óleo sobre madera. El principal responsable de la obra era Hubert, tal como se indica en la inscripción latina: *Pictor Hubertus e Eyck maior quo nemo repertus*; sin embargo fue Jan, el hermano menor, quien tuvo que finalizar la obra, ya que Hubert murió cinco años antes. El políptico estaba en una capilla a la izquierda de la nave principal de la catedral de Sint-Baafs, concretamente en la dedicada a los esposos Joos Vijdt y Lysbette Borluut.

—Es una obra compuesta por miles de detalles. Representaron a pueblos y razas de todo el mundo, no hay dos rostros que sean iguales. Al fondo aparecen las casas, los palacios, los castillos de la ciudad. Y en alguna de las ventanas del castillo veréis a alguien que mira. La vegetación tampoco está elegida al azar: además de las europeas, pintaron también flores y arbustos asiáticos.

Los niños siguen con mucha atención las explicaciones de Robert.

—Ahora fijaos en esos ángeles de ahí arriba. Como veis, están cantando. Los pintores cuidaron con tanto celo los detalles que, según los expertos, si se observa con detenimiento el gesto de sus bocas, se puede adivinar en qué nota están cantando y, por tanto, qué canción interpretan.

—Yo ya sé lo que cantan —dice Graciano.

Todos sus compañeros se echan a reír.

—Silencio —se enfada Robert—. Venga, entonces, ¿de qué canción se trata?

—«A las barricadas, a las barricadas...» —entona Graciano.

Karmentxu se queda mirando los ropajes de los ángeles con la boca abierta. Qué capas tan hermosas llevan, de terciopelo, bordadas con oro y joyas. Se fija en un ángel que toca el órgano en la parte izquierda. No es en absoluto un niño, como los que había visto hasta ahora. Parece un adolescente. Y lleva una capa larga, de color dorado y dibujos oscuros, estampada con flores de cinco pétalos, en perfecta geometría.

—¡Karmentxu, por favor, que te vas a perder! —le grita Robert desde el vestíbulo.

—Ya voy, ya voy.

Primero de mayo, 1938. Todos los niños de la guerra encabezan la manifestación, y a su lado una gran pancarta: «El fascismo español ha matado a 10.000 niños españoles.» La foto se publicó en primera plana en el periódico socialista *Vooruit*. En un rincón aparece Robert Mussche guiando a los niños. La marcha sigue el mismo recorrido que los ciclistas, desde la calle Korenmarkt hasta la zona de Belfort.

En la guerra de España las cosas se estaban enconando, y la situación internacional estaba también muy agitada. En solidaridad, numerosos escritores y pensadores europeos unieron sus fuerzas en favor de la República. Después de aquella manifestación, pocos días más tarde, Robert partió para Cataluña, como enviado del *Vooruit*. Desde allí daría noticias del frente del Este.

El 29 de mayo es la fecha que consta en el documento que le entregaron las autoridades de la República. Solo tenía permiso para quince días.

MINISTERIO DE DEFENSA NACIONAL

Autorizo a M. Robert Mussche, corresponsal del diario *Vooruit*, para visitar el frente del Este.

Esta autorización tiene un plazo de validez de quince días.

Barcelona, 29 de mayo de 1938.

El Secretario General

La época de Robert en la guerra de España es oscura. No está claro si aquel viaje de quince días fue el único que hizo a la península. No hay forma de saber si renovó aquel permiso. Nos faltan muchos datos, es como un agujero de olvido. Sabemos que estaba en Granollers, que tomó una habitación en la Fonda Europa, y que allí se reunía con otros periodistas extranjeros, a discutir sobre la marcha de la guerra. Sabemos también, por boca de su hija, que tuvo algún tipo de relación con Ernest Hemingway y André Malraux. Y que incluso guardaban cartas enviadas por Hemingway, pero las habían perdido en alguna mudanza. Al parecer fue un descuido de su madre, y la maleta que guardaba las cartas desapareció para siempre.

En cualquier caso, una relación más sólida que con Hemingway la tendría, lo más seguro, con los artistas Arturo Souto y Victorio Macho. Eran pintores y escultores, estrechamente ligados a la causa de la República. Tanta fue su amistad que Robert incluso ayudó a organizar una exposición de Arturo Souto en Bruselas, en 1939. Es más, hay obras regaladas por Souto en la biblioteca de Robert. Son dibujos a lápiz, en blanco y negro. En ellos aparecen figuras de guardias civiles fusilando campesinos. Son obras tristes sobre esos miles de personas muertas en la cuneta.

En Granollers descubrió, de verdad, un mundo nuevo, el mundo de los que luchaban contra el totalitarismo, el de la gente sencilla, también el de los artistas. Crear no era suficiente; el artista, además, tenía que liberarse a sí mismo y a su entorno. Robert envió muchas crónicas desde Cataluña, y un largo artículo que escribió sobre Federico García Lorca suscitó un especial interés entre los lectores de Gante.

Inmediatamente se persuadió de que la realidad era diversa. Supo de lenguas que nunca había conocido: catalán, euskera, gallego. Se trajo libros de Castelao, un buen saco de novelas y poemas escritos en catalán; y, por último, tuvo noticia de la historia del euskera, de cómo aquella pequeña lengua había sobrevivido durante miles de años. Entre los cientos de fotografías que se llevó a casa con la intención de publicarlas en *Vooruit*, hay una del lendakari Agirre. Quizá Robert tuviera en proyecto escribir algo sobre él. Puede ser, pero no he encontrado ni rastro.

8

En el decimoséptimo cumpleaños de Herman, el 2 de septiembre de 1929, Robert le regala un libro: *L'Anneu d'amethyste*, de Anatole France. Y, entre palabras de felicitación, le escribe:

> Hoy cumples años, y eso me hace feliz. Sin embargo, ahora estás un paso más cerca del día en que la vida, despiadada, nos separará.
>
> Quizá un día tomes este libro entre tus manos, pero no por la belleza de la obra literaria, sino para intentar recordar, para rememorar a aquel viejo amigo que un día te lo regaló.
>
> Así pues, que en el futuro este regalo te ayude a buscar en el fondo de tu corazón esas cosas que tenías olvidadas.

Cuando Herman lee estas palabras, le dice que no, que no piense en cosas tan tristes, que nunca se separarán por un enfado. Que siempre estarán juntos. Que su amistad es más fuerte que todo eso.

Las rupturas no llegan de repente, acostumbran a ser consecuencia de una herida que lleva tiempo abierta. Como en los terremotos, las capas interiores de la tierra presionan en silencio, una contra otra, hasta que, en un momento dado, desgarran la corteza terrestre. La razón de la ruptura, la causa más profunda, tampoco solemos verla con claridad hasta que ha pasado un tiempo. Y pocas veces suele ser única —un solo desencuentro, una sola riña— la razón que provoca todo ese terremoto. Además, con el paso del tiempo, aquella razón que tanto nos ofendió se va difuminando, va perdiendo sus aristas, igual que las figuras de las portadas góticas, y ya no nos hace sufrir tanto.

Los amigos no se enfadan de repente; por el contrario, la vida de cada cual tira hacia uno y otro lado, y son esas fuerzas las que desgarran la amistad, como una tela vieja cuando tiramos de ella. Y uno piensa cómo es posible que personas que en un tiempo estuvieron tan cerca estén luego tan lejos; que las mismas personas que una vez se llevaron tan bien luego reaccionen con amargura, con rabia despiadada, como el peor de los amantes.

¿Qué empujó a Herman a comportarse tan insidiosamente con Robert? ¿Por qué quiso dejarlo tan mal ante todo el mundo, sacando a la superficie cosas tan íntimas de él? ¿Creía acaso que estaba en posesión de la verdad, que estaba por encima de Robert? ¿No se sentía lo suficientemente amado, o pensaba que su amistad era algo del pasado, que tenía que dejar atrás? Quién sabe. Probablemente la razón no sería solo una, como pasa la mayoría de las veces.

Las últimas conversaciones que mantuvieron no eran tan plácidas; ya no se ponían de acuerdo con una sola mirada. Hablaron de la materia y el espíritu, como en aquella otra ocasión. La materia contra el espíritu. Robert era platónico en eso, la materia y el espíritu son dos entes separados.

—Los romanos, como sabes, al alma la llamaban *anima*, es decir, lo que anima, lo que mueve, lo que da vida a los vivos. Sin esa fuerza, Herman, los humanos no somos nada.

—Me sorprende, Robert, que, si no eres cristiano, insistas tanto a favor del espíritu. Sin materia, el espíritu no es nada. Una persona es la unión de ambos. La ciencia nos lo ha enseñado.

Tuvieron también una discusión sobre la novela *Le Rêve* de Émile Zola. A Robert le había gustado la historia de los bordadores que recogen en su casa a una huérfana de nueve años. Una noche de invierno, la encuentran en el atrio de una iglesia, y educan a la chiquilla contándole cuentos de hadas y leyéndole vidas de santos. La niña pensará que su vida también será así, hasta que muere el mismo día de su boda. Angelique mantuvo ese deseo de encontrar el bien hasta el día de su muerte.

—El libro me parece de una ingenuidad pasmosa —le dice Herman bruscamente, enfriando el entusiasmo de Robert—. No tiene nada que ver con *Germinal.* Parecen novelas escritas por dos autores distintos.

—Bueno, pues a mí me ha gustado. A fin de cuentas, lo que plantea Zola es que, a pesar de haber nacido en un entorno concreto, si persigues un ideal, tu vida será diferente. *Le Rêve* habla del determinismo, de por qué tiene que estar prefijado el futuro de una persona, sin que tenga ninguna otra oportunidad.

—Pero si se muere el día de su boda... ¡Vaya oportunidad para la libertad!

—No todos hemos sido criados entre algodones como tú, Herman.

Según he sabido después, en el fondo de aquellas discusiones entre Herman y Robert estaba la cuestión del sexo. Los años corrían, y Herman no entendía por qué Robert no tenía relaciones con chicas. Cada vez que se enamoraba, lo hacía, no de la chica, sino de la persona; o, más aún, se enamoraba de su propia idea sobre aquella persona. Eran todos amores románticos, platónicos; en opinión de Herman, completamente desfasados.

Así las cosas, Robert sentía que Herman lo incitaba a tomar una decisión que no deseaba tomar, y le disgustaba que se burlara de él ante sus amigos a cuenta del tema.

—A este paso, Robert se nos va a meter a cura...

Cuando hablaban sobre sexo, siempre era Herman quien sacaba el tema. Y Robert se amilanaba, no le gustaba tratar la cuestión.

—El sexo no lo es todo, Herman. Hay cosas menos prescindibles, la amistad por ejemplo. Yo le doy más valor. Y también al amor..., y el sexo puede desbaratar el amor.

—También la falta de sexo —se carcajeó Herman.

Le irritaba comprobar la ingenuidad de su amigo, el hecho de que se resistiera una y otra vez a esa llamada de la naturaleza; porque Robert estaba construyendo un gran castillo de cara a la galería, pero al parecer no deseaba gozar de los placeres de la vida.

En 1930, Robert conoció a una muchacha llamada Yvonne de Ghouy. Mantuvieron una relación durante cuatro o cinco años. Se conservan muchas de sus cartas, señal de que su relación fue intensa. A menudo Herman, Robert y ella salían juntos.

Se reúnen en la cervecería Patjentje a celebrar el Fin de Año. Yvonne regala a Robert las obras completas de Shakespeare, con esta dedicatoria: «A mi dulce chico, esperando que este libro por fin te satisfaga.» El libro tiene más de mil páginas. Cuando Robert lee en voz alta las palabras de Yvonne ríen los tres.

Luego quedan solos en la calle Yvonne y Herman, con ánimo de prolongar la noche. Robert se va a casa, y los otros dos siguen bebiendo. Prueban la absenta, como los poetas simbolistas que tanto aprecian.

—Verlaine admiraba realmente a Rimbaud. Robert es realmente bueno, yo nunca llegaré a su nivel —dice Herman a Yvonne, mientras van del brazo por la calle—. Yo, como mucho, soy Verlaine. Robert es Rimbaud. No he conocido a nadie que fuera tan poeta como él. Tiene una increíble facilidad para captar las cosas esenciales de la vida, las que de verdad importan. Es tan sutil para percatarse de todo... Pero debería escribir más.

—No sé si Robert me ama realmente —le dice Yvonne, cambiando de tema.

—¿Cómo que no? No digas eso —le contesta Herman, casi riéndose aún, por efecto del alcohol.

Yvonne se detiene, y quedan ambos frente a frente; no habrá un palmo entre los dos rostros.

—Quiero decir que no sé si me ama como mujer.

—¿Qué quieres decir con eso?

—Que no quiere tener relaciones conmigo.

Para él, soy una mujer bella, inteligente, culta. Solo una interlocutora. Mierda. Si no es capaz de dar un beso, ni de hacer una caricia, no...

Y hace amago de besar a Herman.

—Bueno, Yvonne. Creo que ya hemos bebido suficiente —la interrumpe Herman.

En una carta de 1934, Yvonne confesó directamente a Robert lo que sentía, advirtiéndole del declive de su relación. Aceptaba también que había pedido consejo a Herman sobre su situación. Basándose en esas conversaciones mantenidas con Yvonne, Herman escribió la novela *Aurora*, sin mencionárselo a Robert ni a ella, ni a nadie. La escribió mientras hacía el servicio militar en Francia, y la publicó unos años más tarde, en 1940, con el seudónimo de Johan Daisne. En la novela cuenta con ironía las vicisitudes de una joven pareja: el chico no desea tener relaciones sexuales con la chica, pero ella sí. A consecuencia de ello, al final del libro, la relación terminará.

Quizá el libro quería ser una crítica de la moral estrecha; es cierto que iba más allá de la relación entre Robert e Yvonne, pero en Gante todo el mundo sabía a quién se refería Herman. Eso tampoco podía negarlo.

A Robert le parecía increíble que su mejor amigo pudiera haberle hecho algo así. Por mucho que últimamente su relación se hubiera enfriado, ¿el recuerdo de lo vivido juntos en otra época no había puesto freno a su excitación creativa? ¿Acaso convertirse en un escritor famoso era más importante que su amistad? ¿No tenía nada más que contar? ¿Ninguna otra situación que representar? Todos los paseos que habían dado juntos, aquellos instantes maravillosos, ¿no eran más que pura mentira? ¿Polvo del pasado? O, peor aún, ¿aquel chico de buena familia había utilizado a este joven pobre y tímido?

Allí terminó la amistad entre Robert y Herman. Herman quiso disculparse diciendo que en la novela todo era ficción, que solo había usado su historia como inspiración, que él sabía que todos los escritores se basan en la realidad para luego, poco a poco, dejar volar su imaginación.

Quiero creer que Herman se lo diría a Robert de buena fe, pensando que estaba en lo cierto. Sin embargo, Robert no estaba en situación de escuchar nada. Era un hombre de firmes principios y no aceptaba semejantes comportamientos. Ni siquiera en nombre del Arte. Pocas veces se enfadaba, pero cuando lo hacía la indignación le duraba mucho tiempo. No perdonaba fácilmente. Y Herman lo sabía. Sabía que iba a costarle volver a acercarse a Robert.

Herman siempre se arrepintió de haber llevado las cosas a esos extremos. No tenía derecho a violar así los sentimientos de Robert. Y él se había introducido violentamente en su corazón y lo había desgarrado todo con sus zarpas, lo había pisoteado como si fuera un animal rabioso al que han encerrado. Había herido muy profundamente el hermoso corazón de Robert. Una y otra vez acudía a su memoria lo que su padre le había dicho unos años antes: «Nunca tendrás otro amigo igual.»

La novela *Aurora* no dio muchas alegrías a Herman. No está, ni mucho menos, entre sus obras más destacables. Es de un nivel bastante modesto: sus mejores novelas vendrían después de finalizada la Segunda Guerra Mundial.

Robert entra al Banco Nacional de Bélgica, como cada mañana. Es uno de los primeros en llegar. Saluda a sus compañeros y se sitúa en la caja, en la ventanilla de atención al público. Entre las columnas de bronce puede ver la puerta acristalada de la calle. Circula poca gente, es una mañana de llovizna.

El director del banco lo llama a su despacho. En aquella época era Armand Neven quien lo dirigía. Robert se sorprende, no sabe qué puede querer. Se ajusta la corbata y sube a la planta superior.

Se encuentra con que el director está molesto. No lo saluda como de costumbre.

—Robert, la caja no cuadra —le dice, sin decirle ni buenos días.

—Es imposible, señor Neven, lo comprobé dos veces. —Robert no sabe qué pensar, no son las palabras que esperaba del director.

—Falta dinero.

Robert se apura.

—No pensará que he sido yo, señor.

—No, no quiero pensarlo. Yo no pienso nada, eso es cosa de poetas y filósofos —le dice, enojado—. Lo que yo hago es tomar decisiones. La caja es responsabilidad tuya, y la norma en este banco es que, cuando falta dinero, lo pone uno mismo.

—Pero...

—No tengo más que decir. Adiós.

Robert tuvo que poner dinero de su sueldo. La cantidad que faltaba era importante. Así que decidió, para hacer frente a los gastos familiares, buscar una segunda ocupación, y empezó a trabajar en una fábrica de galletas.

Todos los días, al atardecer, lleva las cuentas de la fábrica. Llega a casa tarde y cansado.

9

En cuanto cayó Bilbao, el 19 de junio de 1937, los nuevos dirigentes iniciaron las gestiones para traer de vuelta a los niños. Aquel éxodo infantil había hecho muy mala publicidad a los franquistas, y querían solventar el problema a toda costa. Cuando todo empezó habían centrado sus esfuerzos en que los niños nunca salieran del puerto de Santurce; no pudieron evitarlo, y ahora su objetivo era lograr su regreso lo más rápido posible, aunque para ello tuvieran que usar documentación falsa.

Las instituciones católicas fueron las primeras en devolver a los niños. En Bélgica, el final de la Guerra Civil Española y, sobre todo, el inicio de la Segunda Guerra Mundial apremiaron el regreso. Empujados por la inquietud que producía la guerra contra los alemanes, y creyendo que ahora los niños estarían más seguros en sus propias casas, comenzaron a preparar las repatriaciones por medio de la Cruz Roja.

También Karmentxu y Ramón tuvieron que volver. Aunque no fue por voluntad de August y Roels. «Los engañaron. Tenían miedo de los alemanes —me contó Carmen Mussche—. Les dijeron que la Cruz Roja los iba a proteger. Que era para una corta temporada, como cuando salieron de Bilbao.»

En una foto de ese día triste aparecen, fuera de la estación de Gante Sint-Pieters, los abuelos, Robert y, justo en medio de la fotografía, Karmentxu y Ramón, impecablemente vestidos. Karmentxu, bastante más rellenita que cuando llegó. Los padres de Robert la habían alimentado bien, saltaba a la vista, en su casita de madera de la calle Ferrerlaan. Según las indicaciones de Carmen, en la foto aparece también la joven escritora Dora Mahy.

Poco después de que dejaran ir a los niños, las noticias que llegaban del País Vasco no eran en absoluto tranquilizadoras. Los niños a duras penas conseguían encontrar a sus padres. El nuevo gobierno los utilizaba para hacer propaganda, publicando sus fotos en la prensa. Para ellos, su casa ya no era la que habían dejado en Bilbao, sino la de Bélgica. Algunos volvieron con gran pena junto a sus familias, pues allí les esperaba el hambre de la posguerra. Sus padres tampoco eran tan amantes de la cultura como aquellos que se habían encontrado en Bélgica, y eran más duros con sus hijos. En el extranjero lo habían tenido todo al alcance de la mano. Hubo también quienes volvieron a Bélgica, visto que en el País Vasco no había lugar para ellos.

Los Mussche tuvieron dificultades para seguir en contacto con Karmentxu. Cuando estalló la Segunda Guerra Mundial, Robert se dirigió al frente, y se complicaron las comunicaciones entre ambos países.

Pero, al parecer, sentían mucho la falta de Karmentxu. Basándose en una fotografía de la niña, los Mussche hicieron un busto con su imagen. Aún hoy el busto sigue allí, en casa de Carmen Mussche, al lado de las figuras de Beethoven... Las rollizas mejillas de Karmentxu.

Tras ser movilizado por el Ejército Real de Bélgica, Robert recibió un mensaje de su padre el 29 de marzo de 1940. Preocupado, le daba noticias de Karmentxu. Había llegado de vuelta al País Vasco, pero aún no había encontrado a sus padres.

Mussche Robert, Sargento
2.º Regimiento
1.ª Compañía
1.er Batallón
3.er Pelotón
Ejército de Tierra

Hijo:

Gracias por tu carta del 26 de marzo. No puedes imaginarte la alegría que sentimos cada vez que tenemos noticias de Karmentxu para ti. Parece que está bien, pero aún no ha encontrado a su padre. En cambio, Ramón, su hermano, por lo visto ha conseguido llegar a su casa de Bilbao. Esperamos que no le haya pasado nada a su abuela, porque ¿qué sería entonces de nuestra pequeña?

Queremos lo mejor para ella. De todas formas, una cosa te aseguro: ¡estoy arrepentido de haberla dejado marchar a su país, y estoy convencido de que tú también!

Tus padres, que te quieren.

El ejército alemán arremetió contra Bélgica el 10 de mayo de 1940. Los nazis avanzaron deprisa. Sin embargo, en la orilla del río Lys el ejército belga resistió duramente. Entre el 23 y el 28 de mayo, murieron tres mil soldados belgas, y otros tantos, o más, alemanes. Parecía que los belgas iban a ser capaces de aguantar la ofensiva alemana. Pero Leopoldo III, enfrentándose a los aliados y a la mayoría de la sociedad belga, se rindió ante Hitler, y firmó la paz. Los historiadores dicen que fue un error histórico, que la Segunda Guerra Mundial habría tomado otro rumbo si el ejército belga hubiera resistido un poco más.

Herido en el frente, el 25 de mayo Robert es trasladado al hospital de Amberes. Tiene una bala en el brazo izquierdo. La herida está abierta, así que tiene que pasar mucho tiempo en cama. Y se le ocurre escribir a aquella chica de Amberes a la que conoció el verano pasado, a Vic Opdebeeck.

Se vieron por primera vez en un albergue juvenil de la costa. Vic acudió con su grupo de amigas de Amberes, y Robert con sus amigos de Gante. Cuando se conocieron, a Vic Robert le pareció un arrogante. Opinaba sobre escritores famosos, y Vic no conocía a ninguno. A Vic le pareció arrogante... y feo. Estaba horrible con aquella vieja chapela. Se la ponía para denunciar la situación de los niños vascos. ¡Bobadas!, estaba mucho mejor sin boina.

Al día siguiente ahí tiene a la chica, frente a frente, ante su cama de hospital. Robert la ve cambiada, más guapa que nunca. Tiene el pelo muy rubio a la luz de mayo que entra por la ventana. Hace calor, y la blusa azul que lleva resalta aún más el azul de sus ojos en sus mejillas encendidas.

—No te reconozco sin tu boina vasca ni tu ropa de trabajo —le dice Vic.

—Los tengo escondidos bajo la cama, por si acaso —le contesta Robert con una sonrisa.

—Te creo —dice Vic, y se sienta al borde de la cama.

—¿Estás bien? —pregunta al herido, en un tono más serio y acariciándole el hombro.

—Ahora sí.

Lo visitará cada día en el hospital, sin falta. Se sienta a su lado, en la cama. Cuando está dormido, también ella dormita. Si está despierto, pasan el tiempo charlando.

Robert se encuentra a gusto con Vic. Estando con ella siente un tipo de calma que nunca había sentido. No tienen nada que ver el uno con el otro, sus mundos son completamente distintos y, quizá, eso hace que la relación sea más libre, más viva. Se pasan toda la tarde contándose cosas, hasta que Vic debe volver a su trabajo en una tienda de modas.

Un día aparece Aline en el hospital. Su voz aguda se oye desde lejos. Todo el edificio se entera de que está allí. Aline ponía en marcha a todo el mundo. Al menos en eso, la guerra no la había cambiado.

—¿Qué comedia es esta, Robert? ¡Seguro que no tienes más que una heridita! —le dice, tan brusca y en voz tan alta como siempre.

Aline se da cuenta de que en un lado de la cama hay una chica rubia, una desconocida. Al acercarse a la cama, Aline empuja a la chica con el muslo y se sitúa cara a cara con Robert. Vic da un paso atrás.

—¿Quién es esta pajarita? —le pregunta Aline, con su ironía de siempre, como si Vic no estuviera delante.

—Una amiga.

—¿Una amiga? Yo sí que soy una amiga...

Aline mira de frente a Vic y sigue hablando, tal como suele hacer, sin ceder el turno a nadie.

—Te portaste muy bien haciendo frente a los nazis, Robert. Se merecían los palos que se llevaron, y aún más. Toda la culpa es de ese imbécil de rey nuestro. No debimos negociar con los alemanes. Yo no me fío un pelo de ese cerdo de Hitler. Ese loco no va a parar así como así...

Habla sobre todo de la guerra y de política. Robert la mira, pero su mente está en otra parte. Cuando se cansa de parlotear, Aline le da un beso en la boca a Robert y se despide.

—Adiós, majo.

Carmen Mussche me contó que Aline no volvió a visitarlo. Dicen que, cuando sus amigos le preguntaron la razón, contestó: «¡Robert está muy bien atendido!»

Para hacer más entretenidas las largas horas de hospital, Robert enseña a Vic una breve carta que recibió estando en el frente. La misiva era de Graciano. En el sobre, a la izquierda, el sello estaba dibujado con lápiz, y en el lugar del destinatario se puede leer: Robert «Gorrión» Mussche. Y es que, en flamenco, «*mussche*» es como se llama ese pequeño pájaro. Escrita en abril de 1940, en la carta es palpable que aún había poco movimiento en el frente.

Biernes, 12-04-40

Querido *Dormilon* Nº 1:

Me *alegrare* que hayas bien dormido la noche para poder leer bien la carta que te mando.

Pues en la otra carta me tratas de todo pero es mentira, porque siempre *estas* soñando, y por eso no te ~~qu~~creo porque eso que me *as* escrito era en un momento que estabas soñando y por eso es que no te *qureo*.

Roberto, me tienes que perdonar *por que e* escrito mal tu nombre pero tu propio nombre es *Dormilo* Nº 1 y de apellido MENTIROSO.

Cuando leas mi carta, *leela* bien porque si estás soñando no *bas* a comprender nada y es *lastima* porque entonces no te *enteraras* de tu nuevo nombre.

Así que *asta* la otra carta *escribeme rapido* y sin soñar.

Salud y buenas, *paseate* bien y duerme todavía más bien *Dormilon*.

Graciano del Río

—Que tengas buenos sueños, entonces —dice Vic, y se despide de Robert nada más leer la carta de Graciano.

Desde atrás, Robert la ve alejarse siguiendo la larga hilera de camas. Mira la espalda de la chica, su larga melena que se balancea.

«Si me vuelvo, y aún está mirándome —piensa Vic—, nos casaremos.»

Antes de salir por la puerta, se vuelve y mira, pero lo que ve es a un Robert pensativo, que mira al techo.

10

¿Cuántas oportunidades nos da la vida en lo que se refiere a los amigos? ¿Cuántos de ellos sentimos que son de verdad? Herman miraba hacia la calle desde su escritorio. Justo enfrente, la casa y los árboles de costumbre. Más allá, el canal, helado; los ánades caminaban sobre el hielo. ¿Cuántos amigos sentimos muy, pero muy cercanos? Eso era lo que se preguntaba.

Puede que solo uno, pensó Herman, ese que sentimos tan de verdad es tan solo uno. Y, cuando no lo tenemos a nuestro lado, cuesta llegar a cierto grado de profundidad. Quizá porque no tenemos tiempo para ahondar en nuestras relaciones, quizá porque la vida te lleva por otro lado. En esos casos no queda más que la memoria de lo vivido, el recuerdo de esa estrecha unión con un amigo que lograste un día. Aquello que conseguiste una vez, que probablemente no volverá a repetirse.

Un amigo te aceptará tal como eres, defectos incluidos, aun cuando por un momento lo dejes de lado. Y, a pesar de que pase mucho tiempo sin que estéis juntos, no se preocupa; para un amigo, el tiempo tiene otra medida, así que no se apura. Te pondrás a hablar con él como si os hubierais visto la víspera; como si, a pesar del paso de los años, siguieras siendo el de siempre. Saber que siempre estará ahí, que admitirá los excesos que hagas en la vida, aporta una gran tranquilidad, una paz que tal vez no pueda alcanzarse en otro tipo de relación. Quizá sea la amistad la más perfecta de las relaciones, o la más humana.

Arquíloco escribió: «Para salir por la noche tengo muchos amigos, pero si me ocurre alguna desgracia pocos me son leales.» Pues precisamente esos pocos son los que importan. Pero Herman vuelve a preguntarse cuántas ocasiones de esas nos da la vida.

—No pienses tanto en ese amigo que has perdido. Piensa que has tenido suerte de tener una amistad así —le dice Marthe—, piensa en lo fuerte que fue en un tiempo.

—Sí, pero todo ha sido por mi culpa...

Los ánades siguen caminando, torpes, sobre el canal helado. La ventisca silba y agita los árboles deshojados.

Las bicicletas avanzan por la llanada. Campos fértiles y extensos en plena primavera. Begonias y azaleas en los prados. Las bicis siguen adelante. Vic ha salido de Amberes, Robert desde Gante. Han quedado a mitad de camino, en una posada rodeada de campos llanos y fecundos. Her Bet van Napoleon, la cama de Napoleón. Al parecer, el emperador durmió allí en cierta ocasión. Dicen que en la habitación de arriba conservan su cama, de ahí el nombre de la posada.

Robert oye ruido de bicis, el crepitar de la gravilla del camino. Se incorpora para ir más rápido. Coge el aire por la boca. Vuelve a sentarse. Mira hacia delante, el horizonte está lejos. En el firmamento, unos pocos cirros. El resto, despejado. Las praderas relucen al sol cuando baja la pequeña pendiente.

Vic recuerda el día en que se conocieron, mientras pedalea con el pecho palpitándole. Está citada con ese chico que al primer vistazo le pareció arrogante y feo, en el mismo lugar donde pasó una noche el emperador: Her Bet van Napoleon, la cama de Napoleón.

SEGUNDA PARTE

11

Aún enojado con Herman, Robert ni siquiera le avisó de que iba a casarse. Fue Robert Brise quien le dio noticia de la boda de su viejo amigo. Emocionado, escribió una larga carta a Robert para, en primer lugar, felicitarlo por su enlace, y luego para pedirle perdón. «No puede ser que ese a quien llamaste tu mejor amigo no te felicite el día de tu boda. Tu compañero de juventud, de aquellos tiempos que ni tú ni yo olvidaremos. Sé que quizá no aceptarás mi enhorabuena; aún más, puede que hasta se te haga difícil leer esta carta.»

En la misiva Herman admite que no actuó como es debido al escribir *Aurora*, reconoce a Robert que fue injusto, y le promete que, más pronto que tarde, podrá leer una novela sobre los días de juventud que compartieron, que compensará su mediocre primera novela. Le dice que lo disculpe, que la escribió entre soldados, en el sur de Francia, muy lejos de casa, en la peor época de su vida. Que en aquellos momentos se sentía completamente solo y perdido, y que lo entendiera, por favor. Además de la carta, Herman envió también un regalo de boda, un busto de Beethoven en granito, «En recuerdo de aquellas tardes que pasamos juntos oyendo las obras del compositor alemán». La imagen se la encargó a su tío escultor, y lleva su firma: «H. Thiery». Al principio Robert pensó que la había esculpido el mismo Herman: «Menudo trabajo que se ha tomado para ganarse el perdón.» Pero unos meses más tarde, entre carcajadas, el mismo Herman le explicaría que la «H» de la firma no era de Herman, sino de Henry, su tío. Le cogerá del hombro y le dirá al oído: «Sí que, por un momento, pensé decirte que lo había hecho yo, aprovechando tu despiste, pero no pude. Entre los soldados aprendí a hacer muchas cosas, pero no esculturas.»

Contra lo que Herman temía, Robert no solo leyó toda la carta, sino que aceptó sus argumentos, y la amistad entre ambos entró en vías de renovarse; aunque la pasión que tuvieron de jóvenes se hubiera ya marchitado sin remedio, aunque aquella herida siempre marcaría cierta distancia entre los dos. Volverían a ser amigos, pero la relación nunca llegaría a igualar la que tuvieron antaño.

Contento, Robert lee a Vic la carta de Herman, y le muestra orgulloso el regalo, alzando en sus manos el busto de Beethoven como un deportista levanta un trofeo.

—Parece que está arrepentido. Por lo menos en la carta admite que no actuó correctamente —le dice Robert, satisfecho—. Me pide perdón.

—¿Y le vas a perdonar?

Aparta las gafas y mira a Vic.

—Te lo hizo pasar muy mal...

—Bueno, Vic, es mi amigo de toda la vida. Hay que saber perdonar.

—Perdonar es lícito, sin duda, pero te advierto que no te hará ningún bien volver a convivir con ese amigo. Nos traerá problemas.

Robert no hace caso de esa última frase y, enfurruñado, coloca el busto en la estantería, sobre los libros, en el mismo lugar donde tiene ya otra media docena de bustos de Beethoven. Por lo visto Herman no fue muy original con su regalo, pero acertó de lleno con su gesto. Hizo revivir en Robert la confianza.

La pareja se casó en Amberes, un martes, el 15 de julio de 1941, en una pequeña capilla a un costado de la Catedral. Como Robert no era creyente, la Iglesia católica les impidió casarse en el altar principal. De todas formas, sé por Carmen que todos estaban contentos porque se habían respetado las creencias de ambos, tanto la familia del novio como la de la novia, marxista y católica respectivamente. La madre de Vic había estado enferma poco antes, por lo que el banquete no fue nada extraordinario. Convidaron solo a la gente más cercana. Parece ser que las dos familias pasaron juntas un día feliz, aunque la boda tuviera lugar en una pequeña capilla lateral, un día laborable de verano.

Cuando llegaron a casa, los recién casados colocaron en el salón dos imágenes cara a cara. En una pared colgaron un retrato de Karl Marx dibujado a lápiz; y, justo en la de enfrente, un relieve en porcelana de la Virgen María.

—Se llevaban bien la Virgen María y Marx —le dijo en cierta ocasión Vic a su hija Carmen—. Al menos en nuestra casa no hubo ningún problema, cada uno miraba su imagen; y esos dos, aunque se pasaban todo el santo día mirándose a la cara, nunca armaron ningún lío.

—Mamá...

La noche de bodas no fue como la habían soñado. Los recién casados estaban impacientes, agotados por la larga jornada que tan temprano había empezado. A la hora de acostarse, Vic notó nervioso a Robert.

—Qué te ronda la cabeza, hombre —le dice Vic, agarrándolo del cuello—. Estás con la cara larga, y hoy es el día más bonito de nuestra vida.

Robert toma a su mujer por la cintura y directamente le pregunta:

—¿Has conocido a algún otro?

Vic lo mira sorprendida. No sabe de qué habla Robert. No sabe si decir que sí o que no, no sabe cuál será la respuesta correcta en este momento.

—Claro —dice, sin pensárselo bien.

La respuesta de Vic hace enfadar a Robert. Cree que no es el primero en acostarse con ella. Siente vergüenza. Vic intenta explicárselo, pero es en vano.

Duermen dándose la espalda.

—¿De verdad crees que no tuvieron relaciones antes de casarse? —le pregunté a Carmen.

—Nuestra madre era abierta en cuestiones de sexo. Desde muy pequeña me explicó las cosas con claridad. Pero es cierto que la sociedad de aquel tiempo era puritana. No... Creo que llegaron a la boda sin haber tenido relaciones.

—Pero el ambiente de Robert era muy diferente. Eran progresistas. Me contaste que Aline iba desnuda por la casa y...

—Sí, pero no creas... Quizá el entorno de mi madre fuera más liberal en ese sentido. Era de Amberes, de una ciudad más grande. Pero Gante era pequeña en aquella época, y la familia de mi padre, aunque de izquierdas, era bastante cerrada en cuanto a las relaciones. En el fondo los obreros de Gante seguían siendo cristianos rigurosos. Las costumbres de siglos no se olvidan fácilmente.

Al día siguiente los recién casados amanecen en la cama mustios, callados. Vic acaricia la espalda a Robert, que se da la vuelta y la estrecha con fuerza; comienza a besarla, bruscamente. Se diría que con esos torpes gestos pretende hacerle olvidar el desencuentro de la noche pasada, que quiere dejar claro que la ama sobre todas las cosas, aunque no sea el primero.

—Quieto —le interrumpe Vic, intentando tranquilizarlo—. Usa la cabeza, un poco de fantasía. ¿Acaso no eres escritor...?

Vic hace tenderse a Robert y se sitúa sobre él. Lo desnuda muy despacio. Luego le coge la mano y comienza a acariciarse el cuerpo con ella.

—Deja que yo guíe tu mano, tú no la muevas, déjala como dormida.

Y así la mano de Robert acaricia sus hombros, luego sus brazos, por fin su vientre. Robert libera su mano e intenta besar a Vic en la boca, pero ella no le deja: «Todavía no.» Lo empuja y de nuevo le hace tumbarse, y comienza a acariciar al hombre, desde el pecho hasta el bajo vientre. Se tiende de espaldas y acerca el trasero a su cintura. Ambos están de costado. Intenta introducirse el pene de Robert, muy lentamente.

Robert nota un gesto de dolor en el rostro de Vic.

—¿Estás bien?

—Calla...

Unos torpes movimientos, y Robert se derrama.

En las novelas de Herman el deseo es un tema recurrente.

Terminada la guerra publicó el libro que lo daría a conocer en todo el mundo: *Vértigo*. Igual que el resto de obras de su larga trayectoria, lo firmó con el seudónimo Johan Daisne en 1947 y fue traducido a varias lenguas. Cuenta las andanzas de un profesor que da clases en un centro femenino de secundaria. En opinión de muchos, para escribirlo Herman se basó en su propia experiencia, ya que durante un tiempo fue profesor en una escuela femenina.

La cuestión es que el profesor se enamora de una alumna. La novela es un monólogo, y el lector no distingue muy bien si lo que ocupa la mente del protagonista ha sucedido realmente o es tan solo algo que desea. Esos dos planos desaparecen en la novela, se mezclan en la mente del profesor; tal como pasa a menudo en la vida diaria, los dos planos son, en cierto sentido, verdaderos. La realidad, el sueño, el deseo: a Herman le gustaba moverse y escribir entre esos límites, entre esas fronteras. Escribió también un ensayo sobre lo que se ha venido a llamar «realismo mágico». En efecto, Herman fue un precursor en Europa de ese movimiento. En sus obras el sueño y la realidad aparecen siempre mezclados, quizá como una forma de enfrentarse al desastre de las dos contiendas mundiales que había vivido su pueblo. La guerra cambia la percepción de la realidad, no queda ni rastro de los valores que nos inculcan en la infancia. En ese infierno no sirven de nada. Por eso Herman intentaba en sus obras volver a esa forma de entender el mundo que tienen los niños; la lógica infantil lo satisfacía más que la de los adultos. Pero este realismo mágico no tiene nada que ver con el movimiento literario latinoamericano del mismo nombre. El de Europa era más individualista, heredero del surrealismo. El de Hispanoamérica fue más popular. En la era del poscolonialismo, trataban de recuperar una forma de contar autóctona.

Después de la guerra, igual que otros muchos autores, Herman pasó del compromiso al sueño, de pensar en salvar a su pueblo a reivindicar la libertad personal, del nosotros al yo. La guerra se había ganado, cierto, pero el precio había sido tan alto que los escritores perdieron su fe en la bondad del ser humano. Era preciso ir más allá de la razón, y dejar que cobraran fuerza las pasiones, los odios, los sueños de los hombres. Entre ellos, los deseos perseguidos.

Aquellos fueron los días más felices de la relación entre Vic y Robert. Vic le aportó luz y serenidad.

«He pasado una mala racha, de gran tristeza y graves preocupaciones. Ya lo ves, aún no he cambiado mucho. No quiero parecer un cenizo, pero de la noche a la mañana todo se volvió más pesado y difícil. También tuvo su importancia mi experiencia en España. No es sencillo, amigo mío, vivir sin preocupaciones cuando en tu interior bullen tantas preguntas. Aunque ahora he empezado a disfrutar de la belleza que me rodea: un paisaje de bosques nevados, el amanecer, un conejo que salta, la sombra de un árbol solitario. Vuelvo a percibir el paso de las estaciones...» Así hablaba Robert por carta a Herman, en la época posterior a que conociera a Vic. Al casarse con ella, Robert actuó por fin como una persona libre. No hizo lo que *debía* hacer. Vic no pertenecía a su entorno, y tampoco era de su misma clase social. Venía de otro mundo, y al principio resultó extraña en el cerrado ambiente de Robert. «¿Qué tendrá esa chica?», se preguntaba más de uno. A los amigos del escritor les extrañaba que saliera con ella; no estaba comprometida, ni era una intelectual; pero estaba claro, no podían sino aceptarlo, que era feliz con ella. Por una vez, Robert tomó la decisión de empezar a salir con Vic sin hacer caso de sus allegados.

Vic se lo contaba a su hija con ironía:

—No pienses nada raro. Tu padre tenía tuberculosis, y los médicos le ordenaron reposar en casa. Por eso estuvimos tanto tiempo juntos y fuimos tan felices. Fue cuestión de unos pocos meses, los primeros después de la boda. Los más bonitos de nuestra vida. Menos mal que tuvo que descansar un tiempo; si no, no habrías nacido.

Carmen me mostró una foto de esa época en la que aparecen los tres vestidos de punta en blanco. El padre, la madre y la hija. Robert tiene a Carmen en brazos, y la mira. Vic sonríe.

—Aquí parecemos una familia feliz —me dijo Carmen—. Viendo esta foto cualquiera podría decir «qué alegres están», pero ese fue el único momento de calma. Nadie podía sospechar lo que vendría después. Aquel tiempo feliz fue como una nube pasajera.

Poco a poco los amantes fueron conociendo sus cuerpos. La torpeza inicial dio paso al mutuo entendimiento. A Vic le encantaba tumbarse en la cama junto a Robert y contarse cosas entre risas.

—Cuéntame alguna mentira —le susurra Vic, mientras le pone la mano sobre el pecho.

—¿Alguna fantasía? —contesta Robert, juguetón.

—A ver si sabes alguna.

—¿Conoces *El hombre de Vitruvio*?

—Pues no.

—Los griegos de la Antigüedad tenían un canon de belleza, que se llamaba «la proporción áurea». Según Policleto el cuerpo humano perfecto era el que medía la longitud de su cabeza multiplicada por siete. Así lo dejó dicho en el siglo v antes de Cristo. Y basándose en ese canon se esculpió, por ejemplo, el *Doríforo*.

—¿Ese que va en un carro de caballos?

—¿En carro? No, parece que camina: está desnudo y es como si, sujeta con su mano izquierda, llevara una lanza a la espalda. Bueno, el caso es que, tiempo más tarde, los escultores se dieron cuenta de que esas esculturas en realidad no eran tan gráciles; y establecieron un nuevo canon que dividía el cuerpo humano, no en siete partes, sino en ocho. Y ese es el origen de la escultura llamada *Hermes*.

Vic apoya la cabeza en el pecho de Robert. Con un oído puede captar la voz de su marido, y con el otro los latidos de su corazón.

—En el Renacimiento esa idea volvió a tomar fuerza —sigue Robert—. De esa tradición proviene también el famoso dibujo de anatomía de Leonardo da Vinci que llaman *El hombre de Vitruvio*. El caso es que para Leonardo la medida perfecta de un cuerpo humano es de ocho palmos.

—¿Y a ti qué te parece, que soy perfecta? —le pregunta Vic, traviesa.

—Bueno, hagamos la prueba —dice Robert, siguiéndole el juego.

Vic se acuesta boca arriba.

En primer lugar Robert mide con su palma desde lo alto de la cabeza hasta la boca. Le pone el pulgar en la frente y el meñique sobre la boca, y luego la besa voluptuoso en la lengua y los labios.

—Segundo: de los labios al cuello —y le aparta el cuello de la blusa y lame su cuello dulcemente.

—Sigue —dice Vic, mientras se desabrocha los botones—, sigue, sigue...

—Tercero: del cuello al pecho —y le pone el pulgar bajo el mentón, y el meñique entre los senos.

Le acaricia entonces el surco que los separa, y luego todo el torso. El pecho izquierdo y después el derecho, en círculo. De los bordes hacia el centro. Robert siente cómo se endurecen los pezones de Vic.

—Cuarto: de los pechos al ombligo.

Al tiempo que le acaricia el ombligo y se lo humedece con la lengua, siente cómo se le tensan los músculos del vientre.

Con un rápido movimiento, Vic se desnuda de cintura para abajo.

—Quinto: del ombligo a la vagina.

Con las yemas de los dedos le acaricia los labios de la vulva; primero se los frota con su fluido, y luego se recrea en ellos con la boca, introduciendo de vez en cuando la lengua. Como si besara a una amante hace tiempo ausente, suave y firme a la vez.

—Sexto: hasta la rodilla...

Vic le tapa la boca con su mano y, deseosa de placer, hace que la penetre.

Carmen Mussche nació el 16 de agosto de 1942, en el hospital de Biljoke. Cuando supo que había sido una niña, Robert quiso ponerle «Carmen» en recuerdo de aquella otra niña que no habían tenido más remedio que repatriar. El primero en conocer la noticia del nacimiento fue Herman. Robert no cabía en sí cuando se lo contó aquella calurosa tarde de verano, paseando por la orilla del canal, a la sombra de los árboles. «He pasado una mala racha, pero ahora vuelvo a percibir el paso de las estaciones...»

12

Andaba Carmen entre los papeles de su madre cuando encontró una hoja partida en cuatro. Cuando unió los fragmentos adecuadamente se dio cuenta de que formaban una carta escrita a máquina por su padre dirigida a su madre. Ya entonces Robert militaba en la resistencia y vivía clandestinamente en Bruselas. No podía escribir a mano, por lo que pudiera pasar. La misiva, redactada en la clandestinidad en 1944, decía:

> Hola, querida:
>
> Qué raro se me hace tener que usar este trasto de máquina para escribirte. Me parece increíble que hayan pasado ya dos semanas desde que te besé en el tren.
>
> Los días son interminables; he terminado mi traducción, pero es un libro tan estúpido que estoy lleno de rabia por los sentimientos tan poco naturales que aparecen en él. Mientras, nosotros,

viviendo una tragedia de verdad, salida de la vida real. Por eso estoy tan cabreado con los vanos ejercicios de estilo de ese autor burgués.

No le veo ningún provecho a este trabajo de traducir, pero continuaré por dos razones: la primera, porque me ayuda a pasar el tiempo; la segunda, porque nos sirve para ganar algo de dinero, el futuro es tan incierto...

De todas maneras, intento centrar mi atención en otras cosas y, cuando lo hago, mi pensamiento vuela hacia Gante, nuestra ciudad, un pequeño lugar en el mundo donde ha echado raíces nuestra felicidad. Gante quiere decir tú y nuestra hija, quiere decir mi madre, y el pequeño círculo que forman la familia y los amigos. Un puñado de gente que cabe en mi corazón. Pero entre ellos estáis sobre todo tú y la niña. Y no me ha hecho falta separarme de vosotras para darme cuenta de lo importantes que sois para mí. Este alejamiento recrudece el sufrimiento que tu ausencia me provoca. Nada puede sustituirte en el mundo. Los días empiezan sin tu beso mañanero y terminan sin tus caricias de todas las noches. Y durante el día me falta el tartamudeo de la pequeña Carmen; ese maravilloso ser vivo es solo nuestro. Sabes qué agradecido estoy por nuestra unión; pues ha tomado forma en nuestra hija. Es un ciclo eterno: la vida de nuestros padres se prolonga en nuestros niños, el pasado y el futuro...

Me causa mucha tristeza saber que mi padre murió sin conocer a la niña. Por eso, quiero pedirte un favor simbólico y romántico: sería bonito si uno de estos días fueras al cementerio.

Mañana es día de Pascua, y nuestra Carmen estará loca de contento con su huevo de chocolate. Me da pena no estar ahí con ella para ver su alegría. Si pudiera estar con vosotras, aunque fuera un momento...

Esta semana he estado en Bruselas y hablé con Herman. Me pidió la primera parte de la traducción. La segunda la tendré lista para la semana que viene.

Da recuerdos a la familia y a los amigos. Sobre todo a mi hermano Georges, y a su mujer y su hijo. Da un beso muy fuerte a mi madre, y dile que no se preocupe. Estoy bien.

Y ahora tú, mi amor. Me acerco todo lo posible y te susurro al oído cuánto te quiero. Beso tus dulces labios, muy suavemente. Y para Carmen, de parte de su padre, una caricia llena de amor.

Querida, te echo tanto de menos...

ROBERT

Carmen se preguntaba la razón de que aquella carta estuviera rota en cuatro pedazos. ¿La habría roto su madre? ¿De rabia, porque su marido no estaba en casa, porque las había dejado solas a ella y a la niña? ¿O se había roto sin más, y el tiempo había hecho el trabajo de unas manos enojadas, porque el papel lo guardaron doblado y había humedad dentro de la caja? Para Carmen eran preguntas sin respuesta. En esos últimos años su vida era también como aquella carta partida en cuatro. Iba descifrando su pasado, colocando las piezas una junto a otra y buscándoles una lógica.

No se le hizo extraño lo que su padre decía acerca de Gante. Sabía perfectamente que él quería formar allí el nido para su familia. En efecto, a los pocos meses de casarse, la pareja abandonó las comodidades de Amberes y volvió a Gante con su hijita. Robert quería reunir a los suyos en su ciudad. Era allí donde tenían que vivir, allí donde su hija iba a crecer y, al cabo de unos años, iría a la Universidad de Gante, con la que su padre tanto soñó. Lo que él no pudo conseguir, lo quería para Carmen. Alquilaron un piso en Paul Fredericq Straat, en el barrio de la estación. Vivirían en el primer piso del número 59.

Cuando eran novios, Robert invitaba muy a menudo a Vic a visitar Gante; le mostraba los rincones más hermosos, quería que se enamorara de su ciudad. Pero Vic no se plegaba fácilmente, prefería con mucho Amberes. En la primera visita la llevó al puente Sint-Michiels. Desde allí verían sus tres famosas torres. Cuando llegaron a la mitad del puente, Robert dijo a Vic:

—Esta es la mejor vista de Gante.

El puente tiene una especie de abombamiento desde el que se puede contemplar el panorama de las tres torres. La más cercana es la de la iglesia de Sint-Niklaas. Más atrás, Belfort, la torre que custodia los archivos de la ciudad. Y al fondo la aguja de la Catedral de Sint-Baafs. Mirando desde el puente surge una atmósfera especial; parece que has vuelto a la Edad Media, y que el tiempo no ha corrido desde aquellos lejanos tiempos. Si se mira hacia abajo desde el puente se ven los canales, a ambos lados. A la izquierda, los viejos muelles de Gante, las casas de los mercaderes de otra época y los almacenes en hilera, palacios de la Edad Media y del Renacimiento, uno tras otro. A esa zona vieja del puerto le llaman Muelle de las Hierbas. Y al fondo, la oscura silueta del castillo medieval de Gravensteen.

Se hicieron una foto al pie de la torre de Belfort, bajo una escultura de mármol a la que llaman Mammelokker: una mujer aparece dando el pecho a su padre. El relieve se basa en la leyenda clásica de Cimón y su hija Pero. Cimón había sido condenado a morir de hambre, y su hija iba a visitarlo a la cárcel todas las mañanas, sin faltar una. A escondidas, daba de mamar a su padre. Cuando los vigilantes se percataron del engaño, en lugar de castigarlos se conmovieron y dejaron en libertad a padre e hija.

—A ese motivo se le llama *Caritas romana*, y fue pintado por primera vez en las paredes de Pompeya. El mismo Rubens pintó más de un cuadro sobre el tema —le explica Robert, mientras fuma un cigarrillo y Vic le escucha sentada en la baranda metálica, con los pies colgando.

—En algún sitio oí que en el mundo hay tres cosas inútiles —se le ocurre a Vic.

—¿Los reyes, la jerarquía eclesiástica y los grandes ricos?

—Robert, no empieces otra vez con la política. Te hablo de cosas más poéticas...

—Pues di.

—La lluvia en el mar, la luna en pleno día y las tetas de los hombres.

—Mira tú.

—¿Y ves? Si Cimón hubiera tenido un hijo se habría muerto de hambre. Puede que ni fuera a visitarlo, siendo hombre...

Robert se queda pensativo unos instantes.

—¿Estás segura de que las tetas de los hombres no sirven para nada? —le dice, mientras apaga el cigarro y se guarda la colilla.

—Lo tuyo no tiene remedio.

Por fin Herman se atreve a proponérselo a Robert.

—Siempre me preguntabas qué podías hacer para luchar contra la ocupación: ahora el partido necesita gente. Los camaradas se alegrarían mucho si aceptaras. El pueblo tiene miedo, nadie se atreve a dar un paso al frente, y en tu situación... Pero tengo que preguntártelo. Lo prometí en el comité. ¿Te unirías a la resistencia?

Herman sabía lo feliz que era con Vic y la pequeña Carmen. Sabía bien que aquella pregunta significaba poner en peligro aquella vida maravillosa. Y por encima de todo sabía que Robert no iba a decirle que no. Nunca lo había hecho, y menos aún en esta ocasión. No se equivocaba. Robert se incorporó a la resistencia.

Al principio trabajó con el grupo de Gante. Publicaban un periódico clandestino, *Het Belfort*. La publicación llevaba el nombre de la torre que custodia las leyes de la ciudad, esa fortaleza que es símbolo de libertad. Robert escribía a menudo en ese periódico. Firmaba sus artículos con el sobrenombre de *Julien*. Su experiencia en la Guerra Civil Española le sirvió para escribir encendidas crónicas, de esas que enardecen a los lectores. La gente agradecía vivamente sus colaboraciones.

Pero no era ese su único quehacer. El grupo también ayudaba económicamente a las familias de los presos que se negaban a colaborar con los nazis, a las que el gobierno les había retirado cualquier tipo de ayuda. En una de las reuniones para recaudar fondos, Robert se encontró con un antiguo conocido. Armand Neven, el director del Banco Nacional de Bélgica, estaba entre los asistentes. Cuando se vieron, ambos se quedaron con la boca abierta.

—¿Qué haces tú aquí? —le pregunta el director.

—Aquí, robando dinero —contesta Robert, con una sonrisa forzada.

—Bueno, si es por una buena causa...

El balcón de la casa de Paul Fredericq Straat era de ladrillos, y tenía intercaladas unas aberturas de forma cuadrada. La pequeña Carmen miraba por ellos a la calle. Como todos los niños de su edad —entonces tendría unos dos años—, le gustaba sacar las cosas de los armarios de la cocina y guardarlas en otros lugares. Se pasaba el día entero sacándolas y metiéndolas. Así, cuando no encontraba algo en la cocina, Vic lo buscaba en los huecos del balcón. Para Carmen, allí estaba el cofre del tesoro. Y dentro del cofre: un dedal, un salero, cucharillas. Todo lo que caía en su mano.

Carmen está jugando en el balcón. Vic oye un estrépito en la calle. Gritos, ruido de armas, puertas y ventanas cerradas de golpe. Coge a Carmen en brazos y, agachada, mira hacia la calle por las aberturas del balcón. Por una de ellas ve un coche de la policía aparcado sobre la acera. Desde otro hueco ve que una vecina del barrio pasa corriendo. Por un tercero ve a la mujer en el suelo y a la policía sujetándola. Entra en casa y cierra puertas y ventanas.

Las detenciones eran muy frecuentes. Pero no pudieron llevárselos a todos. En aquella misma calle vivía una familia de judíos a la que nunca atraparon. Pasaron toda la guerra allí escondidos. Los alemanes sabían que estaban, pero nunca pudieron echarles el guante. Vivieron en la clandestinidad hasta que los nazis se fueron.

En efecto, había una gran solidaridad entre los vecinos. En la planta baja, los Mussche tenían como vecino a un pintor. Más de una vez dijo a Robert que si venían a por él bajara por la ventana al patio, entrara en su taller y huyera por la puerta de atrás. En el callejón había una pequeña tienda de ultramarinos. Si había algún apuro, allí tenían un teléfono.

A medida que pasaba el tiempo, la situación fue empeorando. Los grupos de la resistencia comenzaron a hacer sabotajes, a destruir lugares estratégicos: estaciones, ferrocarriles, puentes. Eso hizo que la represión se recrudeciera, y los miembros del partido comunista poco a poco empezaron a desaparecer. También en el círculo de Robert.

Cuando se llevaron a Alers, Robert decidió que Gante no era un lugar seguro y se mudó a Amberes el 7 de marzo de 1944. En la estación se despidió de su mujer y su hija. En Amberes, se refugió durante unas semanas en casas de amigos de la familia de Vic. Sin embargo, convencido de que también Amberes era un sitio peligroso, se fue a Bruselas. Se instaló en un quinto piso de la Zonne Straat, en un pequeño apartamento que le facilitó el partido. Pero no tenía dinero suficiente para vivir. Lo mejor era que iba a trabajar en el mismo piso, sin tener que acudir cada día a una oficina. Herman le proporcionó un trabajo adecuado: la traducción. Robert era capaz de traducir al flamenco desde el alemán, el francés y el español; además era escritor, así que iba a hacer bien ese trabajo. Quedaban una vez a la semana en el Café de París de Bruselas, y Herman le pasaba los libros que debía traducir; así como un saco con ropa, algo de comida y la correspondencia. Esa cita semanal era la única relación de Robert con la civilización. En toda la semana no hablaba con nadie más; se dedicaba a trabajar y, cuando no trabajaba, a pensar en su familia.

—¡Vaya escritor malo me has dado para traducir! —se queja Robert a Herman en la cafetería—. Me hace aún más largas las horas de soledad.

—Hombre, a menudo la buena literatura no es vendible. Y un editor necesita ese tipo de libros.

—Herman, mientras traducía esa novela tan mala me he dedicado a pensar en qué es lo que hace buena una obra literaria.

—La belleza —dice Herman.

—No tiene nada que ver con la belleza. Ni con que sea contemporáneo, ni con que incorpore innovaciones formales. Esas son cuestiones teóricas, pasto para la crítica. En mi opinión, lo que importa es algo que no aparece en el texto, que está entre líneas.

—¿El encanto?

—Yo no usaría esa palabra. Prefiero llamarlo *impulso*. Cuando en un libro detectas la presencia real del autor, cuando sabes que nadie te podrá contar esa historia mejor que él, cuando no puedes dejar de escuchar su voz...

El camarero se acerca a la mesa e interrumpe a Robert.

—¿Quieren algún dulce?

Los dos escritores se le quedan mirando un momento, y enseguida recogen todo lo que tienen sobre la mesa y desaparecen por la puerta trasera de la cafetería.

Cuando tienes un hijo, los miedos aparecen al momento. Cuando llegamos a la juventud, piensa Robert, creemos que hemos espantado para siempre las dudas y temores de la infancia y la adolescencia. Por desgracia, no suele suceder así. Al ser padres vuelven con fuerzas renovadas. Es como si el miedo nos diera una tregua, un respiro de unos pocos años, para luego volver al ataque. Suele ser un periodo de calma de tres o cuatro años, como mucho. Y al nacer el crío nos da pánico perderlo, y que él pueda perdernos. Dejarlo solo para siempre. Si es niña, a esos miedos hay que añadir el de que sea sometida por algún hombre, que la ataquen. La mayoría de las mujeres que conozco han sufrido algún ataque de uno u otro calibre.

Robert se acordaba continuamente de sus dos Cármenes. ¿Cómo se las arreglaría Karmentxu en la oscura posguerra de Bilbao? ¿Conseguiría salir adelante en la vida? En Bruselas, si yendo por la calle veía a una niña de la edad de Karmentxu, se preguntaba cómo estaría su hija, qué estaría haciendo en aquel preciso momento. A la hora de irse a dormir siempre se ocupaba de la pequeña. Cuando estaba en casa, él era el encargado de acostarla. Le leía un cuento, y luego se tumbaba a su lado y se hacía el dormido. Carmen lo acariciaba diciendo «Papá, papá». De pronto, las caricias cesaban: la niña se había quedado dormida. No era fácil soportar aquel vacío. Robert se sentía tan lejos de Gante: a pesar de estar solo a cincuenta kilómetros, no podía acercarse a ver a los suyos, porque lo detendrían.

El hecho de no poder estar con sus seres queridos quemaba a Robert por dentro. Cuando estaba solo en el apartamento solía tener momentos de duda: «¿Merece la pena todo esto?» Pero inmediatamente intentaba calmarse, diciéndose que había tomado la decisión correcta, que alguien debía trabajar para que los nazis no gobernaran el mundo. Pero le costaba tranquilizarse.

Entre los libros que le había dejado Herman tenía un ejemplar de *Moby Dick*. No era para traducirlo, lo usaba para aliviar sus largas horas de soledad y silencio. Lo tenía sobre la mesilla, para su rato de lectura nocturna. Solo se quedaba dormido viajando por esos inmensos mares lejanos. En un pasaje del noveno capítulo de la novela de Melville, leyó: «*But oh! shipmates! on the starboard hand of every woe, there is a sure delight; and hig-*

her the top of that delight, than the bottom of the woe is deep.»

«Así es —se decía Robert—, siempre es más alta la dicha que profunda es la herida.» A pesar de tener miedo y de estar separado de su familia, la felicidad de ser padre superaba el dolor.

13

Entre los poemas de Robert hay uno sobre su círculo de amigos de Gante titulado «Na het feest» («Después de la fiesta»). En él sus compañeros lo despiden, pero desconocemos cuál es la razón profunda de ese adiós. Él va poco a poco desapareciendo, y sus amigos se quedan tan solo con su recuerdo, con la idea que tienen acerca de él. Al leer el poema da la sensación de que el autor sabe algo que los demás ignoran, de que se guarda algún secreto que no quiere o no puede contar. En opinión de Herman es el mejor poema de Robert, y quiso publicarlo en una antología internacional de luchadores por los derechos humanos, para dar a conocer el valor literario de las obras de su amigo más allá de las fronteras de Flandes.

Dice así: «*Het wordt reeds laat, de feestroes is voorbij...*»

Se hace tarde, van callando las voces,
y los amigos se miran, fatigados.
Llega el momento de separarse, y yo me voy a un rincón,
deprisa, a borrar el tedio de mi rostro.

¿Un último brindis? Todos me desean buena suerte,
aunque con esas palabras quieren decir mucho más.
Yo, jugando mi papel de siempre, me someto, una por una,
a todas las ilusiones que tenía para esa noche.

Se hace tarde, van callando las voces,
y me pregunto si aquella caricatura
trazada a vuelapluma no será
el verdadero perfil de mi rostro.

Café de París. Como todas las semanas, está citado con Herman. Sin embargo, hoy su amigo no aparecerá. Marthe, su novia, se va de vacaciones por unos días y tiene que ir a despedirla. «Ve tranquilo —le dice Robert sin poder disimular su decepción—, ya me las arreglaré, no te preocupes.»

En la mesita de la cafetería se dedica a pensar en sus traducciones. Durante largos días Robert no ha tenido otra compañía que esos autores. Se ha movido en su mundo, oyendo las voces de las novelas que debía traducir. Esas voces le ayudan a seguir adelante más que las de los vivos. La soledad le obliga a acompañarse de quienes no están, de los que hace tiempo no ha visto, de los muertos, que están ahí mismo, en el mismo plano que todas esas personas con las que se cruza a diario por la calle, tan reales como ellas. A medida que pasan los años sucede algo similar: uno guarda en su recuerdo tanto las voces de los vivos como las de los muertos. «Es extraño —piensa—, pero ha sido la clandestinidad lo que más me ha unido a la literatura.» Al no tener ya el trabajo del banco, pasa más horas que nunca leyendo y escribiendo. Robert aprende mucho vertiendo al flamenco a todos esos autores extranjeros. Le gusta repetir en la suya lo que ya está dicho en esas lenguas extrañas; para él es como entrar en un terreno nunca hollado. La traducción le abre ventanas a paisajes desconocidos o, lo que es lo mismo, a frases nunca escritas.

Paga el café y se dirige a su escondrijo. Camina a buen paso, pensativo... En el Café de París la gente habla en francés; charlan tranquilos, como si los nazis no estuvieran allí. Al parecer, para ellos la vida sigue sin ningún impedimento. «Mi lengua no es la más rica —reflexiona Robert—. ¿Por qué escribir en flamenco, una lengua situada entre las dos grandes tradiciones de Francia y Alemania?», se pregunta. «Porque me coloca en el mundo como persona», dice en voz baja, apretando los puños mientras repara en las gotas de lluvia que se estampan contra el suelo. «Sin la lengua de los obreros de la calle Ferrerlaan, yo no sería el mismo.»

Robert oye el sonido de las ruedas de la bicicleta sobre la gravilla. Se incorpora para ir más rápido. Quiere aprovechar las horas previas al alba para llegar cuanto antes a la estación. El cielo está cubierto, lo que retrasará el amanecer. Mejor así. Clareará perezosamente, entre nubes. Tras pasar por el puente sobre el ferrocarril detiene la bici un momento; desde la baranda ve a los vigilantes, por parejas, escrutando los vagones con sus perros. Registran los trenes a conciencia. Para no despertar sospechas, deja la bici a la entrada de la estación. Camina pegado a la pared de ladrillos. En un tramo el muro es más bajo: los ladrillos de arriba están sueltos. Cuando salta desde allí, la grava de las vías hace ruido. Se acerca con mucho tiento al convoy militar. Robert mira a un lado y al otro, por si alguien lo ha visto. Parece que no. Se mete bajo el vagón. Huele a aceite, a polvo y humedad. Saca del macuto el explosivo plástico. También el detonador eléctrico. Luego la célula fotoeléctrica. Cuando el tren entre en un túnel la bomba hará explosión; ante la falta de luz, la célula enviará una señal al detonador. Reventar el tren dentro del túnel es el peor daño que se les puede hacer a los nazis. Lleva mucho tiempo sacar de allí los restos de los vagones reventados, los hierros y las tablas, y en la guerra no perder tiempo es cuestión de vida o muerte. Es conveniente colocar el artefacto en los vagones centrales. Así lo aprendió Robert en la película que enviaron los aliados. Los miembros de la resistencia la vieron en una reunión clandestina. La célula fotoeléctrica es diminuta y hay que adosarla con un imán a los bajos del vagón. Es un trabajo para un solo hombre: coger la bicicleta, poner la bomba y a casa, sin despertar sospechas. Hay también otras formas de sabotaje; desviar los trenes, por ejemplo, pero para eso se necesita un grupo numeroso. O, tal como intentaron durante un tiempo, meter grandes clavos en las juntas de las vías. A pesar de ello, no es muy eficaz porque los trenes pasan por encima.

Robert suelta una maldición. Los imanes de la célula fotoeléctrica no se adhieren. Se caen una, dos veces. Suda a mares. El tiempo vuela, y en un momento los vigilantes estarán de vuelta con sus perros. Intenta limpiar el acero con una pequeña navaja. Y, por fin, queda adosada. Siente cada vez más cerca el ruido de las pisadas de los centinelas. No puede salir de allí. Los perros detectarían su olor. Pronto tendrá que decidirse. Saldrá de debajo del vagón y correrá por las vías, aunque tenga pocas opciones de salir con vida. El cielo nublado le ayuda. De pronto, alguien silba desde lejos a los vigilantes, dando aviso de que vuelvan a la estación. Robert aprovecha el momento para salir de allí y saltar el muro de ladrillos. Va a por su bicicleta, como si no hubiera pasado nada. Pero los centinelas están junto a ella, registrándola. Da media vuelta y se va andando por el camino contrario, despacio.

Gotas de lluvia otra vez. Se oye un lejano estallido por la zona de la estación. Acelera el paso.

Después de pasarse toda la semana lloviendo, al atardecer escampa y el cielo se abre con esa joven belleza tan propia de junio. Las nubes, que ahora parecen el corazón de una nuez, pronto tomarán otra forma. Igual que los pensamientos de Robert, que se agolpan en su mente cuando se encamina al Café de París para reunirse con Herman.

Tras quince días sin verse, ambos tienen muchas ganas de encontrarse. Habían quedado en el café pero, aprovechando que el día ya se alarga, pasean como lo hacían de jóvenes. Y, como antaño, se les va el tiempo sin poder despedirse, caminando por las estrechas calles de la vieja Bruselas. Por la noche las farolas hacen brillar los adoquines del pavimento, y dan a la calle el aspecto de un gran pez que se revuelca en tierra. Ninguno de los dos quiere interrumpir la charla, aun sabiendo que es arriesgado, porque los alemanes han decretado el toque de queda.

Robert se dirige a Herman con mayor seguridad que nunca, como si haber pasado muchas horas solo le hubiera aclarado las cosas.

—Herman, he estado pensando, y tengo que darte la razón.

—¡Anda! No puedo creerlo. Robert dándome la razón. ¿A qué se debe tanto honor?

—En cierta época me reprochabas que no me permitía a mí mismo gozar del amor, que era demasiado retraído. Pues era cierto. Y, hablando del tema, tengo que confesarte algo.

—Dime.

—¿Sabes qué me enamoró de Vic?

—Conociéndote como te conozco, sus ojos azules.

—Sí, al principio sí. No podía apartar mis ojos de los suyos. Me embrujaron. Pero lo que me amarró a ella fueron sus palabras. Tenía unas salidas tan ingeniosas... Su humor inteligente, su forma de hablar, eso fue principalmente lo que me unió a Vic. Sin embargo, y a esto venía, en cuanto la abracé, cuando comenzamos a conocer nuestros cuerpos, me di cuenta de que había surgido entre nosotros una unión física muy firme. Advertí que aquella mujer tenía algo que me atraía profundamente. El tacto de su piel era tan único, tan dulce su olor...

—No te calles ahora —le dice Herman, contento.

—Te vas a reír de mí, pero el aroma de su piel me tranquiliza, como cuando un bebé deja de llorar al cogerlo su madre en brazos. Es una sensación que nunca había sentido antes. No sé, no tiene nada que ver con la cultura, es algo que nos une a los animales, que no puedo explicar con palabras. Solo te estoy confesando que nuestro vínculo se ha vuelto muy físico, y que la razón apenas puede explicarlo.

—Antes eras de otra opinión. ¿Aún crees que la belleza y la bondad van unidas?

—Por supuesto.

—¿Y no te gusta ese oscuro erotismo de los cuadros de Gustav Klimt? La belleza morena de Judith, esbelta y vigorosa, con la cabeza cortada de Holofernes en sus manos. Su orgullosa desnudez en ese maravilloso cuadro en tonos dorados.

—Sí, pero déjame decirte que no he cambiado tanto. Y, hablando de los cuadros de Klimt, mi preferido es otro, uno que se titula *Las novias*. En él aparecen dos jóvenes: una desnuda, la otra vestida de rojo. Una de ellas apoya la cabeza en el hombro de la otra. Y, aunque hay un desnudo, la fuerza está en la expresión de las dos chicas. Ese cuadro también es erótico, sin duda, pero el Eros va ligado al sosiego.

—No entiendo cómo no eres cristiano, Robert. Tus ideas están tan próximas a las palabras de Jesús...

—Así es, no estamos lejos, sobre todo cuando denunciaba las injusticias. E incluso la idea del Cielo, creo que es muy útil para los que estamos vivos. Si a alguien le ayuda a sentirse menos angustiado, adelante. En cualquier caso, yo no creo tanto en la perpetuidad, como en el amor renovado a cada instante. La trascendencia no me convence. Me da incluso miedo, imagínate.

Herman saca un libro de su macuto.

—Hablando de cosas trascendentes, aquí te traigo otro libro para traducir.

—¿Otra vez basura?

—No, este es bueno: *Yerma*, de Lorca.

—Mira Lorca. Hoy día es el símbolo de los progresistas españoles. Y, sin embargo, le encantaban las imágenes andaluzas de la Virgen y las procesiones. Los humanos tenemos muchos lados...

—Sí, uno de ellos es el trabajo. Y yo mañana tengo que ir a trabajar. ¡Así que, hale, a casa!

Tras despedirse de Herman, Robert, alegre, se encamina al apartamento. Ha sido una reunión agradable, hacía tiempo que no se encontraban tan a gusto. Da pasos cortos y rápidos, baja la mirada al suelo mientras reflexiona sobre lo hablado con Herman. De pronto se topa en la acera con una mujer. Iba tan sumido en sus pensamientos que no la ha visto. Se miran. «¡Robert!», exclama la mujer. Se le hace raro oír su nombre, estos últimos meses todo el mundo le ha llamado Julien, y se pone en guardia ante el sonido de su verdadero nombre. La luz líquida de la noche no lo pone fácil, pero enseguida reconoce a la mujer: Aline.

—¡Menuda sorpresa encontrarte en Bruselas!

—Lo mismo que a ti —dice Robert, un poco descolocado, sin saber qué decir—. ¿Estáis bien?

—Has aparecido lo mismo que un ángel...

—Me faltan las alas.

—Hace unos meses Graciano y Karmentxu

nos escribieron una carta cada uno desde Bilbao, con un dibujo para ti, pero no sabía adónde enviártelo.

—Aquí estoy, intentando ganar unos cuartos haciendo traducciones.

—Yo también me he venido a Bruselas con mis hijos. No era nada fácil vivir en Gante. Sería para nosotros una gran alegría si vinieras a visitarnos. Robert el gorrión, el querido profesor... A Graciano y a Karmentxu no se les cae tu nombre de la boca.

—No será para tanto.

—Mira, estos no son ni el lugar ni la hora apropiados para charlar. Ven el sábado después de comer. Vivimos en el centro, en casa de mi tía.

—De acuerdo —le promete Robert, no sin dudarlo, cuando Aline, al despedirse, le estrecha las manos.

Oír el nombre de Karmentxu removió a Robert por dentro. Pasó toda la noche dando vueltas en la cama, pensando que iba a tener noticias de la niña, que en el dibujo que ella le había hecho encontraría algún indicio de cómo se encontraban. ¿Cómo hacer para sacar a la niña de ese ambiente de fascistas y devolverla a Gante? En su situación, no iba a ser fácil.

Tumbado en la cama, a Robert le pareció que su suerte había mejorado; por un lado, había pasado una tarde fenomenal con Herman y habían alcanzado el nivel de profunda amistad de otros tiempos y, por otro lado, ahora parecía que podría recuperar el rastro de Karmentxu.

El sábado, Robert llama a la puerta de Aline. No oye voces de niños. Toca el timbre por segunda vez. Por un momento, indeciso, hace ademán de volver a su apartamento. «¡Ya voy!», le dice Aline desde dentro. Pero, cuando la puerta se abre, quien aparece no es una mujer. Hay soldados nazis en el pasillo, con cascos y botas de suela metálica.

Detienen a Robert con la velocidad de las serpientes. Se queda mirando a la mujer, incapaz de creer lo que pasa. Y Aline se pone a gritar, fuera de sí:

—¡Me han quitado a los niños, Robert! ¡Me han amenazado con matar a mis hijos!

Los alemanes detienen también a Aline. Le tapan la boca y le sujetan la cabeza contra el suelo. Con los ojos ruega a Robert: «Perdona, perdóname.»

14

Indagando aquí y allá, Vic logró averiguar el paradero de Robert. Cautivo en la cárcel de Amberes. Pasó allí dos meses, en una celda estrecha y húmeda. Durante todo julio y agosto Vic solo pudo visitar a su marido una vez. Cuando lo tuvo enfrente, su aspecto le impresionó. Había adelgazado, parecía débil y decaído. Tenía moratones en la piel. Con la mirada perdida, encerrado en sí mismo, no escuchaba lo que Vic le decía. La mayor parte del tiempo estuvo callado. Los efectos de la tortura eran evidentes. Lo tumbaban desnudo y mojado en un somier de hierro y le daban tormento con electricidad.

Entre las balbucientes palabras que pudo entender solo recuerda:

—No les he dado ningún nombre.

—Y aunque se lo hubieras dado, Robert. Aunque se lo hubieras dado...

El 31 de agosto de 1944 lo metieron en un tren que salía de Amberes hacia los campos de concentración de Alemania. Cuando supieron que lo iban a deportar, Vic y su familia presentaron una queja, intentaron disuadir a las autoridades, diciéndoles que acababa de sufrir una tuberculosis y que no podría aguantar la deportación. Fue en vano. Aunque removieron cielo y tierra, no consiguieron nada. Aquel tren, el que llevó a Robert a Alemania, fue el último que salió de Amberes en dirección a los campos de exterminio. No hubo ningún otro tren al infierno. Aquel fue el último.

Desde aquellos vagones para el ganado, por una rendija entre los tablones, Robert logró arrojar a la vía un pequeño pedazo de papel. En el anverso llevaba su nombre y dirección, y en la otra cara los de un hombre que iba con él.

Duitsland Robert
Van Echelpoel
Van Diepenbeekstraat 56

Y en el reverso:

Mr Roels
Oloonylaan 109
Antw. *Alles Goed.*

No se sabe muy bien cómo, alguien encontró aquel papel junto a la vía y se lo hizo llegar a la familia de Vic. En la nota Robert había escrito «*Duitsland*», para dejar claro que se lo llevaban a Alemania; y debajo la dirección de la casa familiar de Vic en Amberes. «Robert está en Alemania. Lo han enviado en tren», le dijeron a Vic.

«*Alles Goed*», leyó Vic al final del mensaje. «Todo va bien.»

El mismo día que aquel tren se llevó a Robert a Alemania, Vic empezó a escribir un diario. En él contaba a su marido todo lo que había pasado durante el día. Eran cartas no enviadas, dirigidas a Robert pero que nunca llegarían a salir de su casa. En aquel cuaderno quedaron escritas las preocupaciones, alegrías y disgustos de Vic, los progresos de la pequeña Carmen, las vicisitudes de la guerra y su esperanza de volver a reunirse con Robert, todo eso.

27 de diciembre de 1944

Querido:

¡Han pasado tantas cosas en unos pocos días! Nuestro país fue liberado, pero los alemanes volvieron a atacar y se apoderaron de Maas. Tenía la esperanza de que pudieras estar con nosotros para el día de Navidad, pero no ha podido ser.

Nos hemos reunido un buen grupo en casa: mis padres, mi hermana Yet, mis amigas Jenny y

Annie y, no te lo vas a creer, tres soldados polacos. Eran muy majos. Qué contentos estaban de que los hubiéramos acogido en casa en Navidad. Yo me imaginé que quizá también a ti te habría acogido alguna familia en su casa, y que te habrían tratado tan bien como nosotros a ellos...

Te quiero. Ven pronto, por favor.

Vic y Carmen

En esos días se libró la batalla de las Ardenas. Cuando los aliados menos lo esperaban, ya que después de Normandía se veían ganadores, el ejército alemán lanzó una ofensiva en los bosques de las Ardenas, con la intención de tomar el puerto de Amberes. En un primer momento parecía que la ofensiva había dado sus frutos: lograron plantarse a cien kilómetros de Amberes. En el ataque tomaron parte 75.000 soldados alemanes, con sus mejores tanques. Sin embargo, a causa de la niebla les resultaba muy penoso avanzar, lo que dio tiempo a los aliados para preparar la defensa en condiciones. Así, el frente adoptó la forma de una bolsa. De ahí le viene su otro nombre: la Batalla de la Bolsa. Los aliados les hicieron frente con firmeza hasta enero de 1945 y, finalmente, los alemanes tuvieron que replegarse.

Aquel fue el último intento de cambiar el curso de la guerra por parte de los alemanes. A partir de entonces comenzó su declive. Debido al impulso perdido por los aliados en las Ardenas, y al esfuerzo que supuso para los nazis, los rusos avanzaron mucho más rápidamente en el frente oriental, de tal modo que tomaron Berlín antes que los estadounidenses. La batalla de las Ardenas se recuerda por el mal tiempo: hizo mucho frío y nevó sin parar. Las peores condiciones para un soldado. Escribiendo sobre el terreno en la batalla de las Ardenas había un viejo conocido de Robert: Ernest Hemingway.

Yet era la tía más joven de Carmen. Se enamoró de un piloto estadounidense venido a la guerra europea, y se fue a vivir a Ohio. Su tío había participado en el día D, y tenía por costumbre viajar una vez al año a Europa con su esposa para festejar aquel día. Aprovechaban para hacer una visita a la niña. «Fueron felices, pasaron muy buenos ratos juntos», me decía de ellos Carmen.

La presencia de los soldados polacos que se mencionaba en el diario de su madre trajo a la memoria de Carmen otra anécdota. En aquellas Navidades la pequeña Carmen no pudo entrar en el salón, ya que era allí donde dormían aquellos hombres, precisamente en la época en que la niña estaba aprendiendo a no llevar pañales. Tenía la costumbre de irse a un rincón de la sala de estar y hacerlo allí mismo. Se metía detrás del mueble para guardar la vajilla, y hacía caca. Pero cuando llegaron los soldados polacos no podía hacerlo, y la niña se echó a llorar.

La madre enseguida se dio cuenta de lo que pasaba. Llevó a la niña al baño, sacó el orinal del armario y se lo señaló con el dedo:

—De ahora en adelante tienes que hacerlo aquí, cariño.

7 de enero de 1945

Daddy:

Nuestra hijita está enferma. Tiene mucha fiebre y dolor de tripa. Espero que mañana ya esté mejor.

Mi hermana mayor Thilda, su marido Bob y su hija Gerda han llegado hoy de Amberes. Estaban allí cuando estallaron las bombas V1. Bob y la niña se quedarán con nosotros, pero Thilda ha tenido que volver. Es maestra de escuela y no puede abandonar sus obligaciones. Estoy tan preocupada por ella...

Y tan orgullosa de ti, Robert.

Un abrazo.

Los misiles alemanes V1 y V2 sembraron el pánico en Amberes. Se empezaron a utilizar en octubre de 1944. Bombardearon la ciudad con miles de V1 y V2 durante ciento cuarenta y cuatro días. Eran bombas de gran potencia, muy mortíferas.

Una sola podía destrozar docenas de edificios y provocar cientos de muertes. Las enviaban desde Alemania mediante plataformas de lanzamiento. Se las veía llegar atravesando el cielo. Eran rápidas, más que los aviones comunes: alcanzaban los seiscientos kilómetros por hora. Los ingleses las llamaban *Buzz bomb* o *Doodlebug*, porque al volar emitían el ruido de un insecto gigante. Sin embargo, cuando se apagaban los cohetes se volvían silenciosas, y entonces la gente sabía que en pocos segundos las bombas les caerían encima, lo que acrecentaba el miedo. En efecto, el objetivo principal de aquellas bombas era precisamente ese: sembrar el pánico y la desesperación entre los civiles.

Londres y Amberes fueron las ciudades que más las sufrieron. El 16 de diciembre de 1944 un V2 dio de lleno en el cine Rex de la avenida De Keyserki, a las tres y veinte de la tarde. Dejó más de quinientos muertos. Estaban viendo una película de Gary Cooper, *Buffalo Bill.* A partir de entonces se cerraron los teatros y salas de cine, y se prohibieron las concentraciones de más de cincuenta personas.

En la época más dura, cada veinte minutos estallaba una bomba de aquellas en Amberes. Sus habitantes dormían fuera de la ciudad y volvían por el día a trabajar.

Para evitar los ataques, se pusieron de acuerdo los ejércitos británico, estadounidense y polaco.

Había incluso aviadores que tocaban los misiles con un ala del avión y los desviaban. Hacia el final de la guerra, por medio de ese tipo de estratagemas, solo daban en el blanco el diez por ciento de las bombas.

Para la hermana de Vic, sin embargo, fue demasiado tarde. Thilda enloqueció a causa de las explosiones de los misiles V1 y V2, y pasó sus últimos días en un psiquiátrico.

15

El 2 de septiembre, Robert Mussche llegó a Neuengamme, un campo de concentración cercano a la ciudad de Hamburgo, a orillas del río Elba. Lo construyeron en 1938, en el mismo lugar donde había una fábrica de ladrillos. Durante los primeros años el quehacer de los presos era producir ladrillos; pero no fue ese su único cometido. Participaron en los trabajos de canalización del Elba; como el campo pronto se quedó pequeño, construyeron a su alrededor una serie de campos satélite, y entre ellos abrieron canales, para transportar ladrillos y demás carga entre unos y otros.

Posteriormente, durante la guerra se utilizó a los presos como mano de obra para fabricar munición, y también, en Hamburgo y Bremen, para recoger de las calles los proyectiles que, tras los bombardeos aliados, quedaban sin estallar. El 17 de abril de 1943 seis presos de Neuengamme murieron en un bombardeo cuando salieron a retirar de las calles artefactos explosivos. Como se les negaba el derecho a usar los refugios antiaéreos, los dejaron fuera, a merced del ataque de los aviones.

El resultado del trabajo, fuera cual fuese, era algo de segundo orden; es decir, a menudo las tareas que obligaban a hacer a los deportados no tenían ningún sentido. Cierto que usaban a los presos para trabajar por el Reich, en fábricas o en obras públicas; pero el objetivo principal era establecer un sistema de señores y de siervos.

Los señores eran los nazis, y los siervos, todos aquellos que quedaban fuera de su ideal social: judíos, comunistas, extranjeros, homosexuales, gitanos, resistentes. Su porvenir era ser siervo, eso era algo que los nazis querían dejar muy claro a sus prisioneros. El fin último del trabajo era ese, que los presos interiorizaran el nuevo orden. Así, los miembros de las SS casi no tenían contacto con ellos, ni siquiera hablaban con los cautivos. En su opinión, al ser de una raza superior, no debían contaminarse hablando con esclavos de tan baja ralea. De esa función se ocupaban los guardianes, llamados *kapos*. Ellos también eran cautivos, presos convertidos en guardias. A menudo eran los más crueles.

A fin de cuentas, para el Reich los prisioneros no eran humanos y, por tanto, no merecían ser tratados como personas. Los nazis pretendían arrancarles de raíz las ganas de vivir.

En los campos de concentración y exterminio se hacía un uso sistemático del hambre. No era sino otro instrumento para humillar y machacar por completo a los presos. Les daban de comer estrictamente lo que necesitaban para seguir trabajando, nada más. El estómago se encogía, los huesos empezaban a doler, la dentadura a arruinarse. Pero lo peor no era el hambre. Lo más terrible era el miedo. Y las noches se convertían en pesadillas. A cualquiera le parecía un gran consuelo salir con bien de la tiniebla profunda y ver nacer el nuevo día. Igual que para las bestias del bosque: una noche entera, un amanecer más con vida. Los presos pasaban las noches espantados, y a duras penas conseguían conciliar el sueño.

La cosa más nimia bastaba para provocar el pánico, una pequeñez podía, inesperadamente, convertirse en algo mortal. Un par de zapatos, por ejemplo. Una cosa tan corriente en nuestra vida diaria. A veces repartían a los presos zapatos de distinto número; esto es, uno de su pie y el otro, o bien mayor, o bien más pequeño. Al calzar zapatos que no eran de su talla, y además desparejados, los pies se les llagaban.

Para una persona debilitada, famélica, esa pequeña herida se convertía en un suplicio insoportable, una tortura que lo mataría poco a poco.

Porque esas pequeñas heridas se enconaban por las malas condiciones de higiene, y si se infectaban, primero provocaban gangrena y luego la muerte. Una muerte larga, llena de sufrimiento, a causa de un simple par de zapatos de distinto número.

Neuengamme se hizo famoso también por los experimentos que hizo allí el médico Alfred Trzebinski. Inoculaba el tifus a los prisioneros soviéticos y luego investigaba las consecuencias. Pero hubo comportamientos aún más crueles: en 1944 el médico Kurt Heissmayer empezó a probar vacunas contra la tuberculosis con veinte niños judíos traídos expresamente de Auschwitz. Existen fotos que recogen los efectos que tuvo la enfermedad en los niños. En abril de 1945, sabedores de que los aliados estaban cada vez más cerca, y con la intención de ocultar sus crímenes, mataron a los veinte niños en el colegio de la Bullenhuser Damm en Hamburgo.

Se estima que, de 1938 a 1945, murieron en Neuengamme unos 105.000 presos, la mayoría en los últimos años. El bienio 1944-1945 fue especialmente duro. Durante aquel verano murieron por término medio 1.700 presos al mes. En febrero de 1945 murieron 2.500 personas a causa del frío y las malas condiciones de vida.

El responsable del campo era el Obersturmbannführer de las SS Max Pauly.

Fue en esa época cuando Robert Mussche estuvo en Neuengamme.

Era el número 45035.

Aunque el tren llega de noche, mirando por las rendijas entre las tablas del vagón, Robert puede ver una gran estación, iluminada por altas torres eléctricas. Ve muchas vías en paralelo. Los SS abren las pesadas puertas de los vagones y les ordenan bajar entre gritos y empujones. Los deportados apenas pueden mover las piernas: después de viajar tres días en aquellos vagones atestados, tienen entumecidos todos los músculos del cuerpo. Mientras bajan por las rampas, «rápido, rápido», los perros muerden las pantorrillas de los extenuados cautivos. «*Mützen ab!*», gritan los soldados, «*Mützen ab!*» Un anciano que tiene cerca hace a Robert gestos de no entender, alzando las cejas. «Dicen que nos quitemos el sombrero, —le traduce Robert—. Quítese el sombrero.» Ven las alambradas y las torres de los centinelas. En el cielo todo está oscuro, y las luces, unas luces que hacen daño, están enfocadas directamente a los ojos.

Hacen entrar a todos en un enorme barracón contiguo a la estación. La primera reacción de los recién llegados es acercarse a las paredes, colocarse uno al lado del otro y protegerse la espalda, igual que haría un perro miedoso. Aún sin hacerse a aquella situación tan nueva como terrible, apenas duermen.

Los despiertan al alba y les ordenan quitarse la ropa hasta quedar completamente desnudos. Así como están, los rasuran usando unas grandes navajas, no solo la cara, sino el vello de todo el cuerpo. Robert ve a un sacerdote que llora: no quiere que nadie lo toque de cintura para abajo. Desde allí los llevan a unas duchas de azulejos blancos. Al principio les echan agua caliente, casi hirviendo, y luego fría, como el hielo. Cortan el agua. Desnudos, todavía goteando, los sacan al patio. Se secan allí, quietos, al débil calor del sol de septiembre. Finalmente les dan ropa nueva: pantalón, camisa y gorra, todo de rayas. Y un par de zapatos.

La camisa de Robert lleva un triángulo rojo cosido en el pecho, la señal que corresponde a los comunistas. Al lado, en lugar de su nombre y apellidos, el número.

Esos primeros días han sido los más difíciles: el largo viaje en aquellos vagones que apestaban, y el momento de llegar al campo. Para los cautivos supone cambiar de mundo, pasar a otro, extraño y completamente distinto, de la vida cotidiana de los vivos al infierno; por mucho que antes estuvieran en mitad de una guerra. El prisionero pasará del blanco al negro, de la esperanza al sufrimiento sin tregua. El golpe más duro es ese cambio que de repente sufre la vida. Nunca antes habrían pensado que pudiera existir un lugar semejante en el ancho mundo. Ni que se pudiera tratar tan mal a una persona. Todo estaba encaminado a provocar el pánico: aquel tren de ganado, las mordeduras de los perros, los golpes y los gritos, el rasurado de la zona genital, todos los detalles estaban muy cuidados para crear terror.

Una vez repartida la ropa, los meten en pabellones repletos de camastros. Los colchones son de paja y las mantas están hechas con sacos. Una cama para cada dos: cada uno ha de dormir mirando hacia un lado.

De repente se oye un estruendo. Los SS y un *kapo* entran y hacen ponerse en fila a los recién llegados. El *kapo* los golpea con una vara a diestro y siniestro. El anciano cae al suelo y lo pisotean. El hombre empieza a chillar. Uno de los SS le ordena parar: «¡Ya basta!» Levantan al apaleado y lo sacan del pabellón. Nunca volverán a verlo.

Los primeros días no fueron nada agradables para Robert. Lo encerraron en una celda de aislamiento, lo tuvieron colgado de unas vigas durante largas horas, le negaron el alimento. Y todo, para dejar bien claro quién mandaba allí. Robert llegaría a odiar muy profundamente a aquel *kapo* al que llamaban «el Ruso». Nunca antes había sentido ganas de matar a nadie, pero a él sí, a él lo habría estrangulado con sus propias manos. Se sorprendía a sí mismo, cómo podía sentirse así, cómo podía estar tan lleno de odio; él, que había sido un joven tan culto y amante de la paz. No se reconocía.

En Neuengamme la muerte era una compañera cotidiana, una más, y bastante más viva que ellos. A los enfermos los sacrificaban con inyecciones letales. A menudo había también ejecuciones extrajudiciales: liquidaban a los dirigentes políticos a tiros, les disparaban desde las torres de vigilancia. En los entierros tocaba la orquesta, una banda formada por presos. No solo cuando, de noche, llevaban los cadáveres a incinerar: les obligaban a tocar también en las fiestas de las SS; y los domingos por la tarde, si hacía buen tiempo, para todos los prisioneros.

La primera vez que oyó una pieza de Beethoven en ese lugar Robert quedó impresionado. La misma música que oía en casa con sus amigos o con Vic. Parecía que a los nazis les gustaba, que disfrutaban con aquella música. Robert se sintió como si le hubieran arrebatado algo muy suyo, como si hubieran ensuciado su pasado: las veladas musicales en la casa de Brise, los bustos de su biblioteca, el regalo de boda de Herman. Y en su mente surgió el mismo Beethoven, aquel día en que estrenó la Novena Sinfonía, los problemas económicos que tuvo para conseguir la orquesta y el coro, el palco real vacío, todo el concierto sin quitar ojo a los músicos. Cuando terminó, la gente empezó a aplaudir como loca. Beethoven no se giró, fue su ayudante quien tuvo que advertirle de su éxito. El maestro miraba a la orquesta, atento a quienes hacían surgir la música, preocupado por su forma de tocar, totalmente ajeno a lo que sucedía en el mundo.

Una persona se acostumbra a las situaciones más difíciles, y también Robert fue aclimatándose a estar preso en Neuengamme, a la dura disciplina del campo. En eso le ayudó un joven abogado de Gante, André Manderyncxs. Era uno de los cabecillas de la resistencia en Neuengamme. Se ocupaba de los camaradas que llegaban al campo: los incorporaba a su grupo de trabajo, y así recibían un mejor trato de los SS. Se libraban de las tareas más fatigosas; construir canales con los pies en el agua, por ejemplo. Los presos políticos estaban organizados, lo que ofrecía a los cautivos una especie de protección invisible. A André lo habían llevado a Neuengamme al principio de la guerra; aunque pareciera increíble, llevaba años allí, y de un modo u otro había sabido salir con bien. Era uno de los más veteranos, a pesar de ser muy joven. Conocía todas las estratagemas para sobrevivir en aquel campo baldío.

Robert se puso en contacto con miembros de la resistencia. Trabó amistad con Maurice de Graes, Jan Everaert y Valère Billiet, Max, sobre todo con este último. Era geólogo, profesor de la Universidad de Gante. Había pasado mucho tiempo en África haciendo prospección de minerales. En los momentos de descanso le gustaba charlar con Robert.

—En África muere mucha gente por culpa de los diamantes —le dijo una vez, mientras sujetaba un pequeño lápiz en la mano—. Pero, al fin y al cabo, el elemento básico de un lápiz y de un diamante es el mismo, el carbono. En unas determinadas condiciones puede convertirse en joya, el mineral más duro y perdurable. Pero coge un lápiz: en cuanto lo aprietes contra la hoja blanca, se romperá. Y precisamente por eso, porque se rompe, es posible escribir con él. También en Europa, para que haya tenido lugar esta guerra, toda esta locura, han tenido que darse ciertas condiciones en este continente nuestro que creíamos tan civilizado. Al menos yo, antes que la joya, prefiero este pequeño lápiz, porque con él puedes escribir todo lo que está pasando aquí. Y eso sí que va a ser más perdurable que un diamante.

16

21 de enero de 1945

¡Los rusos están a tan solo 150 kilómetros de Berlín! Ya llegan, por fin, la victoria y la paz.

¿Me oyes, cariño? Estés donde estés, no olvides que te tengo en mi pensamiento. Resiste, por mí y por tu hija. Ya habla muy bien, y es una niña muy despierta. Está deseando conocer a su *daddy*.

Se despiden con un beso...

2 de febrero de 1945

Las noticias sobre la guerra son inmejorables. Espero que para marzo o abril habrá terminado. El día de tu regreso será el más feliz de mi vida. Más que el día que nos casamos, más que el día en que nació nuestra hija. Porque entonces empezaremos una nueva vida y dejaremos atrás todo este sufrimiento, este vacío.

12 de marzo de 1945

Querido:

Las cosas van viento en popa. Hemos tomado Colonia. Los aliados han levantado un puente sobre el Rhin. Los presos están volviendo de Alemania. Pronto estaremos juntos...

21 de marzo de 1945

Corazón:

Hace ya unos días que Montgomery inició el ataque en la zona del Rhin. Han caído Frankfurt, Wiesbaden y Darmstadt. ¡Estamos viviendo momentos históricos! Todos los días vuelven miles de deportados. Yo hago planes para cuando vengas.

Ninguno de tus amigos ha venido a visitarme. No sé por qué. Puede que yo no sea tan importante para ellos. Me hace daño, porque habría agradecido una pizca de amor y de comprensión. Menos mal que nuestros vecinos, los Allinckx, me hacen un poco de caso y me preguntan a menudo si quiero cenar con ellos.

¡Por favor, ven pronto!

Vic

19 de abril de 1945

Todos los días oigo en la radio noticias sobre las matanzas que ha habido en los campos de concentración. Han muerto miles y miles de personas a manos de la Gestapo. Dime, ¿dónde estás? ¿Qué tipo de tormentos te ha tocado pasar?

Envíame alguna palabra, no puedo vivir sin ti. Por favor, aguanta las torturas, haz lo que haga falta para volver a casa.

Te queremos.

Solo su hija hace olvidar a Vic lo largo de la espera. Cuando está con ella el tiempo pasa más deprisa. La niña está creciendo, todo cuanto ve le sirve de lección. Si ve a su madre llorar, también ella se pone a llorar a su lado. Si la ve rezar, se arrodilla junto a su madre y hace como que reza.

Mientras hace las faenas de la casa, Vic pierde de vista a la pequeña. Pensaba que estaría en el salón, pero allí no la encuentra. Se inquieta. Registra las habitaciones, y tampoco. Entonces se acerca al cuarto de baño, con miedo de que se haya caído a la bañera y se haya dado un mal golpe; a la niña, en efecto, le encanta tirar cosas a la bañera.

La encuentra en el baño. Haciendo de vientre, tal como le dijo su madre, en el orinal. Pero no sentada, sino erguida y con los pies dentro, con los pantalones puestos. La niña provoca una leve sonrisa a Vic.

17

Desde que se unió a los miembros de la resistencia, la salud de Robert mejoró visiblemente. Además de la mutua protección, el hecho de estar ocupado y tener quehaceres para el día siguiente le daba fuerzas para continuar. Comenzó a despertarse cada mañana con mejor cuerpo.

El trabajo de la resistencia en Neuengamme era diverso. Conseguían documentación falsa y, durante la última fase de la reclusión, incluso armas, aunque no pudieran utilizarlas, o no se atrevieran.

Robert hablaba alemán, así que hizo buenas migas con los presos políticos germanos. Eran los que más sabían sobre la guerra, ya que de vez en cuando podían hablar con los soldados, que les contaban los avatares de la contienda: los aliados estaban cada vez más cerca, aquella locura iba a terminar más pronto que tarde...

La principal ocupación de Robert era propagar aquel tipo de información entre los prisioneros. Difundir la esperanza, básicamente. Contar que faltaba poco para que aquel infierno terminara, que en cuestión de semanas todos estarían camino de su casa. Y como el objetivo de los nazis era mortificar a los presos, hacer que no tuvieran en mente otra cosa que la muerte, los grupos de la resistencia luchaban contra ellos con la palabra, propagando información, subiendo el ánimo, haciendo renacer la ilusión. La palabra era la más potente de sus armas.

Ese trabajo que hacía en secreto hizo revivir a Robert. Transmitir coraje a la gente y, de paso, saber que pronto estaría con Vic y Carmen le devolvió la alegría de vivir. Tal como una vez dijo por carta a Herman, para Robert había dos cosas por encima de todo lo demás: «el Amor y la Justicia». Y fue con esos dos objetivos en mente como Robert Mussche pudo resistir aquel invierno largo e inclemente.

El comandante Heinrich Himmler ordenó desalojar el campo de concentración de Neuengamme el 15 de abril de 1945.

A los aliados se les erizaba el vello al ver el lamentable aspecto de los presos de los campos que liberaban. Era inconcebible lo que allí había pasado. El eco de aquellas carnicerías estaba extendiéndose por el mundo, y los nazis empezaron a evacuar los campos, en un vano intento de ocultar sus masacres.

Cuando comprendió que las fuerzas aliadas estaban muy cerca, Himmler dio la orden de evacuar el mayor campo de Alemania: había que trasladar lo más rápido posible a todos los prisioneros de Neuengamme y los noventa y seis campos satélite al puerto de Lübeck. Dicho y hecho. Entre el 19 y el 26 de abril de 1944, once mil deportados llegaron desde Neuengamme a Lübeck, algunos en tren, el resto a pie.

Se calcula que otros tantos murieron por el camino.

Llaman a los miembros de la orquesta y les mandan ponerse a tocar en la entrada. Miles de presos pasarán por su lado camino de las vías. Y cuando los trenes se llenen, a los demás se les dará la orden de ir andando. Deben llegar cuanto antes a Lübeck, a Himmler le urge vaciar Neuengamme.

Entre tanto la orquesta seguirá sonando, tapando el ruido de miles de pasos. Cuando ya no queda nadie en el campo más que los músicos, los nazis meten todos los instrumentos en un coche fúnebre camino de Hamburgo: violines, violas, contrabajos, trompetas, trombones. El auto mortuorio que transporta los instrumentos estará estrechamente vigilado durante todo el camino, flanqueado por motocicletas de las SS; y, en la parte de atrás, ese tesoro que nadie debía robar.

Aquella fue una fría primavera sin flores. Al final de la estación, los prados habrían tenido que estar llenos de flores de achicoria; pero, aunque los campos estaban verdes, allí no había flores. Era como si también ellas tuvieran miedo, como si el pánico les hubiera hecho ocultarse bajo tierra, o como si alguien hubiera pasado con una hoz por las praderas, quedándose con todas.

—Es señal de que hay hambre, Robert —le informa Max—. Las flores de achicoria son comestibles, y por eso no hay ni rastro de ellas.

En el camino de Neuengamme a Lübeck, del interior a la costa, los presos que van a pie se encuentran un territorio sombrío y en ruinas. Los caminos están llenos de cráteres y socavones provocados por las bombas. En las cunetas, cadáveres tirados, con la boca abierta, con oscuras ojeras de muerto reciente. Los pueblos vacíos, las casas hundidas, silencio por todas partes. Caminan con pasos cortos, casi sin parar. Uno no puede quedarse atrás, a quien se retrasa le pegan un tiro. Incapaz de continuar arrastrando los pies, más de uno piensa que lo mejor es morir, que la única liberación que puede esperar es la muerte, huir del sufrimiento.

Cuando pasan por un granja buscan comida, restos de remolachas o patatas. Pero las huertas aparecen removidas, y las heridas de la tierra son recientes, están infectadas, abiertas. Con suerte, encontrarán nabos con agujeros, podridos. Manderyncxs encuentra unas mohosas peladuras de patata y se las lleva a la boca.

—No te comas eso, es veneno —le dice Max.

Pasan la noche en fábricas o iglesias abandonadas. Por los tejados horadados se ve el cielo, el cielo de siempre; imperturbable, como si no le preocupara lo que pasa aquí abajo. Incluso las pilas de agua bendita están agotadas; si se mira la marca dejada por el agua, parece como si tuvieran el párpado cerrado. Los presos están sedientos. Una mujer del pueblo ofrece agua a uno de ellos, los SS la matan a patadas. El agua del vaso cae al suelo. No siempre es así. Un campesino se acerca a Robert y le ofrece pan y salami, diciéndole: «Me gustaría que a mi hijo también le ayudara alguien.» La comida se la guardan, para ir mordisqueándola poco a poco durante el largo camino.

Llegan a Lübeck con el alma en la boca, después de cinco días de camino. Para comer no solían tener más que sopa. Muchos se han perdido por el camino. Unos pocos han conseguido huir. Los SS disparaban a los que huían, pero los árboles detenían las balas; producían una especie de temblor y de las verdes hojas caían gotas, lluvia tardía.

En las fotos que hicieron los aviones del ejército británico, la bahía de Lübeck se veía llena de barcos. Parecía que los alemanes estaban reuniendo allí toda la flota que les quedaba; algunos amarrados al muelle, otros muchos en plena bahía. Entre estos últimos, el mayor era el transatlántico *Cap Arcona*.

El *Cap Arcona* era un barco de lujo de 28.000 toneladas que hacía la ruta desde Hamburgo a Río de Janeiro y Buenos Aires. Aquel barco elegante, ligero y veloz, con el tiempo fue la joya de la corona de la armada alemana. Antes de la guerra estaba pintado de blanco, con las chimeneas en rojo y negro. En sus viajes llevaba a personas que iban a América a buscar trabajo, pero también a gente adinerada en la cubierta superior. En las cocinas llevaba diez kilos de caviar y seis mil kilos de pollos. Hans Leip, el poeta que escribió *Lili Marlene*, hizo en él su viaje de bodas; también se rodaron allí películas de propaganda nazi. Pero cuando estalló la guerra todo cambió; al principio prepararon en el barco algunos camarotes para oficiales; más tarde, a medida que los soviéticos ocupaban el este de Alemania lo utilizaron para evacuar a dos millones de civiles.

Ahora la enorme nave reposaba en la bahía de Lübeck. En las fotografías de los aviones de la RAF aparece pintada con un gris de camuflaje, privada de su encanto de otro tiempo.

Según iban llegando los presos al puerto de

Lübeck, los iban metiendo en un carguero llamado *Thielbeck*. Los alojaron en bodegas inferiores y allí los dejaron, sin luz. Les costaba incluso respirar. Hicieron un agujero en el suelo, y aquel era el lugar de las deposiciones. Pronto el suelo se llenó de porquería y el tufo se volvió insoportable. Los centinelas abrían la puerta un momento y les arrojaban la comida sobre las cabezas. Estaban desesperados por respirar un poco de aire, por ver un pedazo de cielo azul.

Cuando se llenó el *Thielbeck*, el *Athen* empezó a transportar al resto de los presos al gran *Cap Arcona*. Se colocó a su costado, pero el capitán dijo que no, que en su barco no admitía a ningún preso. El *Athen* estuvo toda la noche esperando, pegado al *Cap Arcona*. Finalmente, igual que antes habían hecho en el caso del *Athen*, amenazaron al capitán del *Cap Arcona* con fusilarlos a él y al dueño del buque. Aunque estaba preparado para transportar viajeros, el barco solo tenía capacidad para unos cientos; con todo y con eso, hicieron entrar en él a 4.600 personas. Además de 600 soldados de las SS.

A los soviéticos los hacinaron en la «bodega de las bananas», el peor de los lugares. Les abrían el portillo una vez al día para dejarlos respirar un momento. Luego, de vuelta a las tinieblas. Pronto empezaron a morir algunos, asfixiados. Los soldados habían guardado los salvavidas bajo llave, para que nadie pudiera huir a nado. Los botes de salvamento los habían agujereado. Todas las mañanas se acercaba una lancha a recoger a los que habían muerto durante la noche.

Allí estaba también Robert Mussche, en el camarote número 65 del transatlántico *Cap Arcona*. Los presos recién llegados de Neuengamme se quedaron estupefactos al ver aquellos lujosos camarotes decorados con cuadros y telas de gran valor. Pero en los camarotes no había sitio suficiente: los vaciaron de muebles, y ordenaron a los presos que se echaran uno junto al otro en el suelo, en aquel suelo de madera noble. Por la noche oían las bombas desde los camarotes; a lo lejos, como los truenos de una tormenta que se avecina, con ruido de pólvora mojada. Por los ojos de buey entraba la luz de las explosiones, que hacía brillar la pared blanca del compartimento como las alas de una mariposa nocturna.

Con el ejército británico cada vez más cerca, Lübeck estaba al caer.

—Hitler ha muerto —dice Robert a sus compañeros al día siguiente.

Es primero de mayo cuando saben de la muerte del despreciable Führer.

—Se ha suicidado en su búnker de Berlín. Los alemanes se darán por vencidos enseguida. No queda nada para que acabe la guerra.

—¿Y si nos amotinamos? —se atreve a proponer Manderyncxs.

—¿Para qué poner en peligro nuestras vidas? —resuelve Max—. No, lo mejor será esperar. Acabarán por rendirse. Es cuestión de dos o tres días, ya lo veréis.

No está claro qué hacían todos aquellos presos amontonados en aquellos barcos de la bahía de Lübeck. No se sabe si el objetivo de los alemanes era llevarlos a Noruega, que en aquel momento era aliada de los nazis, o bien querían hundir los barcos allí mismo utilizando submarinos, con el fin de no dejar pruebas de sus crímenes.

Entre tanto llegó una carta anónima a la sede de la Cruz Roja sueca en Lübeck. En ella se advertía de que había miles de cautivos en tres barcos, y de que, antes de que fuera tarde, convenía que alguien se ocupara de ellos.

Los representantes de la Cruz Roja se reunieron con las autoridades nazis. Con los judíos y los soviéticos no había nada que hacer, eso lo dejaron muy claro los alemanes; pero, del mal, el menos, pudiera ser que liberaran a algunos presos políticos. Al fin y al cabo, también los nazis sabían que la guerra iba a terminar; en un dudoso gesto humanitario, decidieron liberar a los franceses.

Un millar de personas abandonaron los barcos y bajaron a tierra. Los otros presos se esforzaron en probar que también eran galos, chapurreando las pocas palabras de francés que conocían. Quienes lo intentaron fueron ejecutados.

18

11 de mayo de 1945

Querido:

Te conté tantas novedades la última vez. ¡Por fin ha llegado la PAZ! Esa palabra cambiará nuestra vida. 8 de mayo, una fecha que nunca olvidaré.

Aún seguimos sin noticias tuyas. De todas formas, sé que estás vivo y que algún día leerás estas palabras...

13 de mayo de 1945

Hoy ha vuelto a llegar a Gante un grupo de presos políticos. No hay palabras para expresar lo que estoy viviendo ni cuánto sufro. Eres tan audaz... Envíame, por favor, una señal. Algún día volverás y entonces no nos separaremos nunca.

Hoy llegará a la ciudad Minnaert, el dirigente

comunista. Quizá sepa algo de ti. Uno de estos días alguien me dirá algo sobre ti, y entonces seré tan feliz...

VIC Y CARMEN

14 de mayo de 1945

Hoy no he tenido un día muy tranquilo. Por la mañana me han informado de que el señor Roels llegó bien a su casa. Estaba contigo en aquel tren que te llevó a Alemania, en septiembre de 1944. Pero, por otro lado, me he enterado de lo de ese barco que se hundió, en el que había 9.000 personas. Solo se salvaron 450. ¿Tú estabas en ese barco? Vaya pregunta más espantosa. Hasta cuándo va a durar esta tortura...

Tengo que tranquilizarme y ahuyentar los malos pensamientos. Pronto estarás en casa.

Rezamos por ti, cariño.

TU VIC

PD: Acabo de enterarme, por boca de un preso político, de que el 9 de abril estabas bien, con buena salud. ¡Gracias a Dios!

Al parecer, las noticias sobre los presos que iban llegando de los campos eran confusas. Vic preguntó a Minnaert y Roels, que habían vuelto sanos y salvos, pero no tenían ninguna pista sobre Robert. Según me contó Carmen, el dirigente comunista era muy conocido entre los miembros de la resistencia. Nacido en Brujas, desde joven había luchado por los derechos de los flamenco-hablantes. Precisamente por eso se posicionó a favor de los alemanes en la Primera Guerra Mundial, y con su ayuda creó la universidad flamenca. Sin embargo, al terminar la guerra fue acusado de traidor, y se fue a vivir a Holanda. Allí se especializó en astrofísica, hasta que llegó la Segunda Guerra Mundial. Entonces se hizo comunista, igual que muchos intelectuales de la época. Por desgracia, Minnaert no tenía noticias de Robert: que lo habían llevado a Neuengamme, sí, pero después nada.

Roels, por su parte, era quien aparecía en el papel arrojado del tren que iba a Neuengamme. En el reverso figuraba su nombre, en el anverso el de Robert. «*Alles Goed*», habían escrito entonces, «todo bien»; pero, desde que los prisioneros empezaron a llegar a Gante, a Vic la consumía la duda de si todo iría realmente bien. Los recién llegados solían tener pocas buenas nuevas sobre los deportados y, si las tenían malas, a menudo preferían callar, era mejor mirar hacia delante, aceptando: «Algún día lo sabrá, ¿por qué voy a decirle yo ahora nada?»

En un momento dado, llamaron a Vic para contarle que un hombre había llamado a la radio diciendo que era Robert Mussche, que estaba sano y salvo, y que pronto estaría en casa. Vic revivió; tanto ella como sus amigos intentaron averiguar desde dónde había llamado Robert. Herman acudió más de una vez al Comisionado de Retorno, a indagar si el nombre de Robert aparecía en alguna lista de repatriados, pero escrutó todos los listados de arriba abajo y no halló ni rastro de su amigo. Aquel Robert Mussche de la radio debía de ser algún otro; le entenderían mal, quizá en lugar de Mussche había dicho Mensche, vaya usted a saber.

7 de junio de 1945

¡Me tienes tan preocupada! Cuántos presos han vuelto ya, y todavía no sabemos nada de ti. Estamos en junio, hace ya un mes que acabó la guerra. Estoy esperando saber algo sobre ti. Todos los demás piensan que nunca volverás. Solo yo no lo creo. ¿Te acuerdas? Hace un año estábamos juntos. Si no te hubieras ido, ahora no estaríamos en una situación tan apurada. Miro tu foto, y me tranquilizas. Me das esperanza. Y entonces también yo me siento ilusionada; pero otras veces me encuentro tan atemorizada, tan perdida...

Tengo malas noticias que darte. Al señor Vereecken lo mataron el 3 de noviembre de 1944. Lo apalearon los nazis por un cazo de sopa. Su mujer está desolada.

A ti no puede pasarte nada parecido, mi esperanza no flaquea. Pienso con todas mis fuerzas que cualquier día de estos estarás entre mis brazos.

19

El 3 de mayo de 1945 un avión de reconocimiento de la RAF sobrevuela la bahía de Lübeck a gran altura, de forma que los antiaéreos no puedan alcanzarlo. Los presos del *Cap Arcona* agitan los brazos para advertirles que están ahí, pidiendo que los ayuden y los liberen. Los buques de guerra alemanes disparan al avión, que regresa a su base sin darse cuenta de que allá abajo hay miles de prisioneros.

Cuando aterriza, el piloto consigna en su informe: «Hemos sobrevolado la costa. Es increíble la cantidad de barcos que hay en la bahía. Hasta hoy habíamos visto muy pocos. Parece que los han reunido todos allí. Había un poco de todo: cargueros, patrulleras. Y una larga fila de submarinos, uno al costado del otro.»

El servicio de inteligencia del Reino Unido sospechaba que los nazis querían ir a Noruega, para recobrar fuerzas y continuar con la guerra desde allí. Había que evitarlo a toda costa. Detener la huida de los nazis y acabar la guerra cuanto antes: esas fueron las órdenes de Winston Churchill.

A las tres y media de la tarde, cuatro aviones Typhoon del escuadrón 184 comienzan el ataque. Los alemanes han puesto banderas blancas en las lanchas de sus soldados, pero no han arriado la bandera nazi de los barcos en los que hay cautivos. El ataque dará de lleno en el *Cap Arcona*. De las sesenta y dos bombas que lanzaron los Typhoon, cuarenta dieron directamente en la línea de flotación del barco. Los SS y los presos, asustados, salen de los camarotes y suben a cubierta. Algunos de los cautivos, aprovechando la confusión, intentan liberar a los rusos encerrados en la bodega. Pero casi todos están muertos. Llevaban veinticuatro horas sin llevarse nada a la boca, demasiado débiles para intentar nada. Los ha ahogado el calor generado por el primer ataque. Max consigue abrir la puerta del camarote donde estaban a buen recaudo los salvavidas y empieza a repartirlos entre los presos. Un SS lo ve y lo mata de un tiro. Manderyncxs intenta apagar el fuego con un extintor, pero cae en la cuenta de que tiene cortado el tubo. Sienten un gran estruendo, algo parecido a un terremoto bajo sus pies. Ha sido un segundo ataque. Los prisioneros tienen la ropa en llamas. Intentando salvar la vida, los de los camarotes superiores corren por encima de los muertos y los heridos, por encima de los cadáveres de sus compañeros, sintiendo cómo se rompen sus cráneos al pisarlos. La proa del *Cap Arcona* es una alfombra roja de cuerpos sin vida. Unos SS intentan descender en un bote de salvamento, pero se vuelca en el aire y caen al mar. Otros SS se las arreglan para bajar el bote correctamente. El *kapo* al que apodaban «el Ruso» se les acerca nadando y les ruega que lo suban a bordo. Uno de los del bote le pone una pistola en la frente y dispara. Los presos tienen que saltar por la borda, pero se empujan los unos a los otros y muchos de ellos chocan contra el casco. Lanzan al agua mesas, bancos, muebles de madera sobre los que ya estaban nadando en el mar. Luego intentan bajar con cuerdas. Pasada una hora del primer ataque, el barco se escora. Cientos de personas caen al mar, entre ellos Manderyncxs. Se ha golpeado con el ancla y yace muerto en el agua. Las aguas de la bahía están llenas de gente, algunos muertos, otros aguantando a duras penas. Casi no se ve agua: todo es ropa mojada, cabezas temblorosas. El agua está helada, y quien tiene fuerzas para nadar quiere volver a subir al barco. Intentan atarse al barco con cabos o con mantas, pero el casco está cada vez más caliente, empieza a ponerse al rojo vivo, y no pueden soportarlo. Por dentro, el *Cap Arcona* es un horno gigantesco. Morirá más gente quemada dentro que ahogada en el mar.

El ataque se interrumpió al cabo de tres horas. De los 6.400 prisioneros que había en el *Cap Arcona* murieron en el ataque 4.250. De los seiscientos guardias de las SS salieron con bien quinientos. Se salvaron en los botes. El destino de los presos que tuvieron que nadar no fue nada venturoso. Muchos se ahogaron en su intento de llegar a la costa, ya que solo los recogían los barcos de pesca germanos. Hubo quien se salvó por hablar alemán. Pero para quien alcanzaba la tierra a nado la agonía no terminaba ahí. Los SS, cadetes de la escuela náutica de Neustadt, unos chavales de dieciséis años, esperaban armados con fusiles a que los presos arribaran a las playas. Llegaban a la arena exhaustos, para morir a tiros allí mismo. Los cautivos estaban sedientos después de varios días sin beber, de soportar el fuego de los ataques y de nadar un largo trecho. Pedían con ruegos agua a los soldados de las SS, agua por favor. Se la negaban y les ordenaban seguir tumbados en el suelo, quietos. Dicen que hubo un desesperado que se llenó el cuenco de las manos con agua de mar y se la bebió. Lo mataron.

Al poco tiempo, las fuerzas británicas lograron tomar el puerto y las playas. Los alemanes se rindieron. En la misma playa, los vencedores les ordenaron cavar agujeros en la arena. Los cadetes de las SS cogieron sus machetes y empezaron a cavar. Se temían que los fueran a matar allí mismo, tal como los nazis hacían a menudo: te hacían cavar la fosa, y al agujero. Pero no; en aquella ocasión el objetivo era otro: enterrar los miles de cadáveres que traía el mar.

Cuatro días después del hundimiento del *Cap Arcona*, el 7 de mayo, la Alemania nazi se rindió incondicionalmente. El Báltico siguió devolviendo cuerpos durante casi veinte años.

A Robert sus amigos lo han visto por última vez en el camarote número 65. No saldrá de allí. En el primer ataque, un proyectil lo hiere gravemente y cae al suelo, junto a un cuadro que se ha caído a causa de la explosión. En la pintura aparece una chiquilla dormida. Robert cerrará los ojos, y la chiquilla le acariciará la mejilla con su pequeña mano, diciendo: «*Daddy, daddy.*» Una sonrisa será el último gesto de Robert.

La víspera, el 2 de mayo, la inteligencia británica supo gracias a la Cruz Roja sueca que los buques de la bahía estaban ocupados por miles de prisioneros. Enviaron un mensaje urgente a la sede central, solicitando que se suspendiera la ofensiva. Desgraciadamente, el mensaje no llegó a los aviadores de la RAF. Al parecer se trató de un error, un error administrativo que costó 7.500 muertos.

De los 7.300 cautivos que había en el *Cap Arcona* y el *Thielbeck* se salvaron tan solo 366. Del *Athen*, que no fue atacado, se libraron 1.998. El 3 de mayo de 1945, en la bahía de Lübeck, tuvo lugar una de las mayores tragedias marítimas que ha habido nunca. Una tragedia silenciada hasta hace muy poco tiempo. No aparecía en los libros de Historia, que buscaban glorificar la victoria.

Creo que la intención de los nazis era destruir el *Cap Arcona* en plena bahía con torpedos de submarino, pero es algo que nunca se aclaró. Aunque la RAF aceptó que la culpa había sido suya, nunca se solicitó una disculpa oficial a los ingleses. La prensa de aquel tiempo presentó el desastre del *Cap Arcona* como una victoria, como si se hubiera vencido en una gran batalla naval, como en la época del almirante Nelson. No dijeron nada de la muerte de miles de prisioneros. El *Cap Arcona* estuvo en la bahía, bien a la vista, hasta 1950; las aguas del Báltico no son tan profundas. Lo desguazaron y aprovecharon el acero para chatarra.

El *Thielbeck*, en cambio, fue reflotado, lo repararon y lo vendieron, rebautizado como *Reinbeck*. Al cabo de unos años lo desmantelaron en los astilleros de Split. Cuando empezaron a desarmarlo encontraron restos humanos en la quilla.

20

29 de julio de 1945

Cariño:

Estoy muy frustrada, y triste hasta decir basta. Sin embargo, tengo que hablar contigo. Sí, mi amor, NUNCA volveré a verte. Pero espiritualmente estamos tan unidos que siento tu presencia todos los días. ¿Se me pasará alguna vez este dolor que me quema por dentro? Me resulta tan difícil imaginar que no vas a estar junto a nosotras... Pero, visto que no recibo noticias tuyas, tengo que aceptar lo peor.

Hoy ha sido un día difícil. He ido a la misa por el profesor Valère Billiet, *Max*. Allí han dicho que todos aquellos que perdieron la vida o desaparecieron están con nosotros, que eran grandes personas cuando estaban vivas y también ahora, porque se sacrificaron por un mundo mejor. Sí, corazón, tú entregaste tu vida y tu felicidad por una vida mejor. Y una muerte así no puede ser en vano.

Tú me enseñaste a vivir, muéstrame ahora cómo vivir sin ti. Por nuestra hija, por todos.

A nuestra pequeña la educaré según tus principios, y le contaré qué hombre tan maravilloso eras. Siempre pronunciará la palabra «padre» con amor y respeto. Le enseñaré a ser buena persona como su padre.

¿Sabes?, ahora estoy un poco más tranquila, y me voy a descansar un rato. Por favor, aparécete en mis sueños, así tendré un momento de felicidad.

Un beso muy dulce de quien siempre será tu mujer,

VIC

Tal como muchos años después contaría a su hija Carmen, un día que fue al cine, en el noticiario previo a la película, Vic pudo ver lo que había pasado en el *Cap Arcona*. El relato la dejó vivamente impresionada. Tantos miles de presos muertos. Ella sabía que Lübeck estaba cerca de Hamburgo, pero aún no tenía noticia de Robert, no sabía dónde podía estar, y ni siquiera sospechó que estuviera en aquel barco.

Vic no supo hasta mucho más tarde que su marido había estado en Neuengamme. Varias veces escribió a la Cruz Roja, diciendo que a su marido se lo habían llevado a Alemania, pero que no sabía adónde, y que le dieran, por Dios, alguna pista. Ni rastro: la Cruz Roja nunca contestó.

Vic dejará de escribir su diario el 26 de mayo

de 1946. En todo el año no ha apuntado ni una frase, pero esta última vez se lo toma con ganas. Parece rabiosa, como si todo lo que ha pasado no tuviera ningún sentido, ni lo escrito ni lo vivido.

Reconoce que no cuida de su hija como debe, que la está educando mal, y que el mundo no va tan bien como pensaban. Porque ¿dónde está aquel maravilloso mundo que soñaron juntos? La humanidad ha creado la bomba atómica; los aliados, en nombre de la paz, han provocado una terrible matanza en Japón. Qué futuro le espera a su hija con semejante amenaza. Empieza la guerra fría, los que un día fueron aliados ahora luchan entre sí. El mundo no piensa en la solidaridad, cada cual se preocupa solo de sí mismo, de enriquecerse, de alcanzar una buena posición, y nada más.

¿Y dónde están los amigos de antaño? Vic no mantiene ninguna relación con los antiguos compañeros de Robert. Los intelectuales la han olvidado. Y, por si fuera poco, el gobierno aún no le ha reconocido la pensión de viudedad.

En la última página del diario dirigido a su marido, Vic escribirá palabras dictadas por la impotencia.

Vic recogió las pertenencias de Robert en la cárcel de Amberes. Un reloj de pulsera, nada más. Eso fue todo lo que quedó de aquel hombre que un día subió al tren: un reloj viejo, rectangular; estilizado, como si fuera la prolongación de la correa de cuero. La caja es de plata, y lleva números solo en tres puntos: 9, 12, 3. En el lugar donde debería estar el seis, hay otro reloj diminuto que marca los segundos. La aguja grande está parada un poco antes de las tres. No tiene la manecilla pequeña. Se rompió. El cristal está agrietado, pero no ha llegado a quebrarse. El reloj se paró minutos antes de las tres. Hasta hoy.

Le quitaron el reloj cuando lo torturaron en Amberes, y no se lo devolvieron. Para qué, en Alemania no le iba a hacer falta. Lo guardaron con una pequeña nota. Los nazis lo tenían todo muy bien organizado, incluso la muerte. En la ficha constan el nombre y la fecha de nacimiento del preso, y la descripción del objeto.

Name: Robert Mussche.
Geb.: 7-11-12
Inhalt: N 115.
1 Armbanduhr, weiss, mit Lederband.

El comandante en jefe del campo de Neuengamme, Max Pauly, fue juzgado y ahorcado. Pero otros muchos oficiales ni siquiera fueron llevados a juicio. Parece increíble, pero Neuengamme siguió siendo una cárcel hasta el año 2006. El primer monumento conmemorativo se inauguró en 1953, en memoria de los niños muertos en el campo. Tuvieron que pasar casi cincuenta años para que se esculpiera un memorial y se construyera un museo en homenaje a todos los que habían estado presos allí. Cuando lo inauguraron, en 2005, invitaron a Carmen Mussche y a su marido Marc, junto a los supervivientes y familiares de otros presos. Sesenta años más tarde.

Con el paso de los años, el dolor de la pérdida de su padre ha ido aumentando en Carmen. Se pregunta cómo habría sido su vida si su padre hubiera vuelto. Pero, sobre todo, siente la carencia de la tumba de Robert, un lugar al que acudir cuando se siente triste y derrotada, o cuando le quiere dar una buena noticia.

21

Llaman a la puerta en la casa de Paul Fredericq Straat. Vic se sorprende cuando ve por la mirilla quién llama. Herman. Hace mucho que no pasa por allí. Tras dudar un momento, le abre la puerta.

A Herman le parece que Vic está más guapa que nunca. Sobre la piel blanca, unos labios muy rojos. Ojos azules, un poco fatigados, pero es un cansancio que le aporta un punto de elegancia.

—Sé por lo que has pasado...

—Eso es algo que nadie sabe. Ni yo misma. Menos mal que tenía a mi niña. Ha sido una gran ayuda.

Herman siente un vivo deseo de abrazar a Vic. De estrecharse contra sus senos y empezar a besarla, en el cuello, en los labios, en los pechos.

—¿Qué te trae por aquí? No he tenido noticias

tuyas en mucho tiempo. Los amigos de aquella época... todos han desaparecido.

Herman piensa en decirle que lo ha traído el amor, o el desamparo, o la ausencia; el ansia de tener en sus brazos a la mujer de su íntimo amigo, el deseo de acariciar todo su cuerpo. Sería una locura, puro placer o afán de poder, quién sabe. Pero si hubiera detectado algún gesto en Vic, alguna señal de aprobación, allí mismo habrían hecho el amor.

—He escrito un libro sobre Robert, y quería que el primer ejemplar fuera para ti —le dice, mientras lo saca de su macuto—. Lo he titulado *In memoriam Robert Mussche*. No es gran cosa...

Vic no esperaba algo así. Coge el libro en sus manos y acaricia la portada durante un momento. Los ojos se le enrojecen. Luego alza la cabeza y se despide afectuosamente:

—Bueno, ahora tengo que ocuparme de la niña... Hasta la próxima.

«Los años vuelan, compañero, ya no soy tan joven. Cuando lo eres, haces frente a todos los obstáculos, tienes el vigor necesario, parece que el mundo es pequeño y que podrás cambiarlo con tu fuerza. Somos tan ingenuos que nos creemos el centro del universo. Pero ahora esa fuerza me falta; ahora sobrevivo, sin más. A menudo me abandono al paso de las horas, me acuesto en la cama y allí me quedo, como si no quisiera volver a levantarme nunca. No tengo ánimo para afrontar los embates de la vida, recibo sus punzadas que poco a poco me matarán. Como una mujer a la que golpea su marido, como la gacela que ha caído en las garras de un león. Ay, Robert, si tuviera tu fuerza... Ahora me amoldo, es una de esas cosas que tiene no ser ya joven. Y poco a poco estoy perdiendo mi lugar en el mundo. Los miedos también se han multiplicado. Desconfío de los jóvenes, me tienen por un escritor odioso. Robert, tú tenías otro coraje, cómo echo en falta tus palabras. Contigo se fueron tantas cosas. ¿Te acuerdas? Los nuevos amigos pensaban que éramos hermanos. Como cuando fuimos a Oostduinkerke, Herman y Robert, hermanos. Quedaban muy sorprendidos cuando les decíamos que no: "¡Si hasta tenéis los mismos gestos!" Y era cierto: aún ahora, cuando miro mis fotografías, a veces te veo a ti, veo tus gestos en mi cara. Y, cuando hablo, me digo: "Hombre, ahí está Robert." Tú perdiste tu vida en el mejor momento, y yo siento a veces que morir, irme apagando, no sería tan terrible. Sé que no me perdonarás estas palabras; diste la cara en la guerra, tú, mi mejor amigo, diste la vida; y yo ahora no quiero vivir. En más de una ocasión pienso que, si la muerte fuera algo pasajero, también yo querría caer en sus brazos, dejar de vivir por unos días, por unos meses. Eso, si la muerte fuera transitoria. Estoy cansado de sufrir este dolor, este gran vacío interior. "¿Puede haber alguien más feliz?", me pregunté una vez, abrazado a ti, en aquella caseta de pescadores. Pues bien: ¿puede existir mayor vacío que el que yo siento ahora, Robert?»

Herman escribe esas palabras en una hoja suelta, sin ponerse trabas, sin pensárselo dos veces, como poseído por una fiebre. Y luego rompe el papel en cuatro trozos. Cruza los brazos sobre la máquina de escribir y apoya la cabeza sobre ellos. Está en la habitación de arriba, solo, junto a la ventana, pero la noche le impide ver el canal. El cristal no refleja nada más que su rostro.

Un viejo poema chino dice que si dos personas se quieren mucho, si han estado muy unidas y una de las dos muere, la que muere en realidad es aquella que sigue andando.

TERCERA PARTE

22

Durante casi toda su vida Carmen Mussche se dedicó a recoger restos que le llegaban del naufragio que tuvo lugar cuando era niña, e iba guardándolos en los huecos del balcón de su corazón, igual que hacía de cría en la casa de Paul Fredericq Straat.

En el cincuenta aniversario del campo de Neuengamme pidió a su marido, Marc, que la acompañara: su padre había muerto allí, y le agradecería que fuera con ella. Hasta entonces Carmen no le había hablado de él. Fue en 1995 cuando comenzó a examinar los papeles de su padre y a investigar qué le había sucedido en realidad. Su madre, Vic, lo tenía todo guardado en cajas: libros, cartas, fotos. Toda una vida metida en cajas de cartón.

Cuando fueron a Neuengamme, a Carmen le pasó algo extraño. Tiene que ver con aquella larga caminata de agonía desde Neuengamme hasta el puerto de Lübeck.

Miles de presos andando día y noche, sin tiempo para tomarse un descanso. Entre los caminantes había dos hermanos polacos que iban exhaustos, reventados, derrotados. No contaban con llegar vivos a Lübeck. De repente, un joven francés empezó a cantar una canción infantil: *À la claire fontaine.*

À la claire fontaine,
M'en allant promener,
J'ai trouvé l'eau si belle
Que je m'y suis baigné.

Il y a longtemps que je t'aime,
Jamais je ne t'oublierai.

Muchísimos presos se libraron de la muerte gracias al incesante estribillo de la canción. Empezaron a caminar siguiendo el ritmo, recuperaron las fuerzas con la voz del joven que cantaba aquella ingenua tonada.

Cincuenta años más tarde, uno de los polacos se acerca al grupo de los veteranos franceses y empieza a cantarles: «*À la claire fontaine, m'en allant promener...*», pensando que quizá alguien le siga.

Uno de los ancianos se gira nada más oír la canción. ¡Es aquel chico francés que cantaba! Se abrazan después de medio siglo.

Carmen recuerda que vivieron con grandes estrecheces los primeros años tras la muerte de su padre. Su madre decidió irse a vivir a Amberes, buscando el apoyo de su familia, y Carmen se quedó en Gante con la abuela, con la madre de Robert. Vic deseaba cumplir la palabra dada a su marido, que la niña se criaría y haría los estudios en Gante.

Alejarse de su madre fue duro para la criatura. Solía esperarla en la estación de autobuses cuando volvía de Amberes. Y si no bajaba inmediatamente del autobús, Carmen empezaba a preocuparse, pensando que su madre no había vuelto a buscarla. Pero Vic siempre estaba. Si yendo de paseo con ella pasaba algún tranvía, le parecía que su madre iba a cogerlo e irse para siempre. Finalmente, cuando superó sus apuros, Vic decidió dejar Amberes y volver a Gante, junto a su hija. Trabajó como cocinera en el comedor de la universidad, hasta que se jubiló.

—¿Se volvió a enamorar tu madre alguna vez? —le pregunto a Carmen, con un poco de reparo.

—Sí, hubo otro hombre en la vida de Vic. Era médico; un buen hombre, de verdad. Recuerdo que era muy atento conmigo. De todos modos, venía de una familia católica estricta y no miraban con buenos ojos a Vic: viuda y con una niña... Lo dejaron, aunque luego ese hombre ha estado presente en todos los momentos importantes de mi vida. Cuando me casé, allí estaba, en la iglesia, sentado en la parte de atrás. Y cuando nacieron mis dos hijos vino a darme la enhorabuena al hospital.

—Ese médico se casaría con alguna otra...

—No lo creo.

—Se arrepintió de no haber seguido con tu madre.

—Sí, seguramente. En cualquier caso, mi madre sintió cierto alivio cuando la relación terminó. Me dio un fuerte abrazo y me dijo: «De ahora en adelante tú y yo juntas, Carmen; sin hombres, solas tú y yo.» Y cumplió su palabra. Desde entonces hemos tenido una relación muy estrecha. Cuando envejeció se vino a vivir con nosotros, a Lochristi. Era una mujer alegre. Nunca mostró ningún resentimiento después de todo lo que había pasado en la vida.

El 10 de diciembre de 2006 Carmen y Marc acudieron a disfrutar de un concierto a la sala de música Bijloke de Gante. Iban a interpretar una sinfonía de Michael Haydn, bajo la dirección de Florian Heyerick. Antes de empezar, el director se dirigió al público y, entre otras cosas mencionó que su madre, Dora Mahy, había traducido del alemán al holandés la biografía del compositor, que estaba disponible en una mesa dispuesta al efecto en el vestíbulo.

—¿Ha dicho Dora Mahy? —preguntó Carmen a Marc.

—Eso le he entendido.

A Carmen el nombre le era familiar por haberlo leído en los papeles de su padre. «¡Eso es!, Dora Mahy vivía en la calle Ferrerlaan, igual que mi padre —dijo a Marc—, sería unos diez años más joven que él.» Carmen sabía que Robert y Dora habían sido muy buenos amigos. En casa había cartas de ella, precisamente de la época en que su padre estuvo en la guerra de España. Así que, pensó Carmen, seguramente también conocería a Karmentxu Cundín.

En el intermedio se acercó a la mesa del vestíbulo. Preguntó por Dora al joven que se ocupaba de vender libros, ignorante de que aquel muchacho era su nieto.

—Esa mujer mayor que está ahí es Dora —le contestó el joven.

Habría sobrepasado ya los ochenta y cinco años, pero aún era una mujer elegante. Estaba sentada al lado de su marido, también él de buena planta.

—¿Dora Mahy?

—La misma.

—Carmen Mussche, la hija de Robert.

—¡Por Dios, por Dios, no puedo creerlo! —Dora se llevó las manos a la cara.

Se apartó con Carmen a una esquina y le contó muchísimas cosas. Que cuando su marido era un joven abogado había trabajado en la Oficina para las Víctimas de la Guerra. Que, dado que el cuerpo de Robert nunca fue hallado, Vic no podía recibir la pensión del gobierno. Tuvo que esperar varios años, pero finalmente se la concedieron, gracias al marido de Dora. Buscaron y rebuscaron entre los documentos y consiguieron probar que Robert había perdido la vida en Lübeck.

—Perdimos el contacto cuando tu madre se fue a vivir a Amberes —le explicó Dora.

—¿Y te acuerdas de una niña que se llamaba Karmentxu?

—Claro, cómo no me voy a acordar. ¡Nos pasábamos el día cantando tonadas de la República! —Y se puso a canturrear algo, con una voz muy aguda y muy baja, con la mirada perdida.

Anunciaron el final del intermedio. La segunda parte del concierto iba a comenzar.

—Ven a mi casa un día de estos —la invitó Dora—. Tengo que darte una cosa.

Cuando fue a visitarla, Dora Mahy sacó un pañuelo de una cómoda de madera de cerezo. Lo abrió con cuidado y sacó de él un pequeño bordado.

—Lo envió, junto con una carta, Karmentxu desde Bilbao, como muestra de agradecimiento. ¡Mira qué bien cosido está! La carta que mandó la escribió en flamenco, la pobre. Aún se acordaba de la lengua. Eran cuatro letras, justo para decirnos que estaba bien y que no nos preocupáramos.

Pero, mejor que con las palabras, lo expresó con el bordado, con esta labor hecha con sus pequeñas manos. Y desde entonces, silencio. Perdimos el contacto. Las dos Cármenes de nuestra vida desaparecieron... hasta hoy.

Carmen tomó el bordado con sus manos trémulas y empezó a acariciarlo con el pulgar.

—Llévatelo —le ofreció Dora.

—No, no es a mí a quien pertenece. Te lo envió a ti. Cuídalo igual que hasta ahora.

En el momento del adiós, junto a la puerta, Dora le confesó:

—Yo quise de verdad a tu padre, Robert. Por desgracia, él tenía otros planes. Al principio no nos pareció bien que empezara a salir con tu madre. Todos les teníamos un poco de envidia. Pero ahora estoy segura de que no había nadie mejor que Vic. Eligió a la mejor.

Carmen ofreció a Dora las viejas cartas que ella había enviado de joven a Robert, que encontró rebuscando en las cajas donde estaban los recuerdos de su padre. Dora las recibió con entusiasmo. Y, a cambio, Dora le enseñó un poema escrito en los últimos años, en el que se cita a Robert y a la misma Carmen en la primera estrofa:

Pasado quiere decir conocer algún día
al hijo del hombre que amaste

—¿Por qué quieres contar la historia de Robert Mussche? —me preguntó directamente Marc, cuando después de cenar nos quedamos solos en la sala de estar—. Sé que en el festival de Medellín el periodista Julio Flor te habló sobre Karmentxu Cundín, y también de Robert. Me parece maravilloso, además, que se hable de él en ese continente al que quería ir. Pero, cuéntame, ¿cuál es tu razón profunda para escribir esta novela?

La pregunta de Marc me pilló por sorpresa, porque me la hizo después de haber charlado un rato, superficialmente y con humor, de viajes y de política.

—Llevaba meses sin escribir nada —le dije—, y ni siquiera sabía cómo iba a ser mi próximo libro. La muerte de un gran amigo me había dejado completamente hundido. Aquella pérdida coincidió con la llegada a casa de nuestra hija pequeña. Me sentí desorientado, por un lado contento, por el otro triste. Claro que ya conocía algunas historias de los niños de la guerra, siempre me habían llamado la atención sus experiencias, pero me resultaba muy complicado contarlo como está mandado.

—No debía de ser el momento.

—Puede que no. Sin embargo, tirando del hilo de Karmentxu, me di cuenta de que sentía muy mía la historia de Robert. Luego apareció Herman, su mejor amigo, también escritor. Y la pequeña Carmen, la hija a la que pusieron el nombre de aquella chiquita vasca. Y sobre todo Vic, la mujer que conservó su memoria para que Carmen tuviera un padre... la que conservó la biblioteca, las cartas, los escritos, objetos, absolutamente todo. Algo me decía que esta era la historia que debía contar, una historia que coincide plenamente conmigo; una novela que refleje lo que yo entonces sentía, porque aparecerán en ella el amigo perdido, el amor, la hija. La felicidad y la ausencia. El hundimiento de un mundo y el comienzo de otro. Eso fue lo que me trajo hasta aquí. Sinceramente te digo que conocer la vida de Robert ha sido una manera de calmar el dolor. Pero...

—Di, sin reparo —me dijo Marc, mientras ponía hielo en los vasos.

—Después de pasar estos días con vosotros, tengo también otro deseo.

—¿Cuál?

—Que este libro sea además una pequeña sepultura de papel para Robert. Esa tumba que Carmen nunca ha podido visitar.

23

Al día siguiente estábamos citados con Evert Thiery, el hijo de Herman, en su consulta. Es médico, trata enfermedades mentales. No tenía mucho tiempo, así nos lo había dicho en un mensaje electrónico enviado a Carmen, pero la conversación se prolongó más de lo esperado.

La consulta de Thiery estaba atestada de papeles. A la derecha, una gran estantería, llena de libros y cuadernos. Enfrente, el escritorio. Tras él, la ventana, con cortinas de color verde. A la izquierda, una mesita con dibujos para mostrar a los pacientes. Informes y más libros.

Thiery es un hombre agradable. Habla bajo y tiene permanentemente un esbozo de sonrisa en la boca. Le pregunté por la forma de ser de su padre.

—Hace muchos años que murió. Date cuenta: para nosotros no fue una pérdida traumática, tan abstraído solía estar en la creación literaria.

—¿Cómo era su vida de cada día?

—A mi padre lo trastornó el retiro. Durante el día trabajaba en una biblioteca y por la noche escribía. Fue director de la biblioteca durante muchos años, ahí en Ottograght, cerca del instituto. El mundo real por un lado, y el ficticio por otro, así repartía su vida diaria. Nos acostaba y subía a su habitación, a imaginar otras realidades. Cuando se jubiló, con todo, lo pasó muy mal. No acertó a organizarse la vida. Creo que le afectó mucho la pérdida de ese equilibrio. Y al poco tiempo murió, casi inmediatamente después de dejar el trabajo.

—¿Cómo se vivían las pasiones durante la guerra? ¿Qué lugar tenía el amor?

—La guerra no es una situación como esta en que vivimos, corriente, donde más o menos todo es estable. En una guerra todo lo que antes era firme, una casa, la familia, el trabajo, absolutamente todo se frustra. Nada es fijo, lo que obliga a la persona a actuar de otra manera. Vive las cosas más profundamente, el amor, cómo no, y el sexo. Las relaciones eran muy estimulantes por aquel entonces. Y es que no sabían si iban a morir al día siguiente.

—Tu padre escribió un libro que lleva el título en euskera: *Baratzeartea*. ¿De dónde sacó ese nombre?

—Según he sabido, mi padre hizo un viaje al País Vasco francés, al parecer para visitar a un amigo escritor. Allí lo escuchó, y le dijeron qué significaba «*baratzeartea*»: el trecho que hay entre la casa y el huerto.

—Una frontera entre dos mundos...

—Sí, a mi padre le gustaban esas divisiones: la cotidianidad y el deseo, la vida y la muerte. Siempre estaba en ese espacio. Su literatura también es así.

—Robert fue un héroe según todos los indicios. ¿Tenía el héroe algún punto débil? Porque da la sensación de que en su personalidad todo era positivo. Precisamente, estos días hemos estado hablando de ello Carmen y yo. Solidario con los niños de la guerra, buen amigo, alistado en la resistencia... ¿No tenía Robert ningún lado oscuro?

—Yo diría que, de tenerlo, es el propio hecho de ser héroe. Mi padre no era tan idealista; era más pragmático, si quieres; y salió bien parado de la guerra, aunque también él estuviera en la resistencia contra los nazis. Pero Robert lo dio todo por un mundo mejor, por acabar con los nazis. Era gente así la que hacía falta entonces. En la guerra quizá murieran los mejores, los de buen corazón. Pero ser un héroe tiene también su cara oculta, su reverso. Mira cómo quedó Vic, cómo quedó Carmen, sin marido y sin padre. El reverso de ser un héroe es precisamente ese, todo el sufrimiento que deja tras de sí. Ese es su lado oscuro, haber tenido las ideas tan claras... En cualquier caso, te repito que entonces hacía falta gente como él. Bueno, murieron los mejores de su generación, no me cabe duda.

—La sociedad, sin embargo, ha salido adelante con los supervivientes.

—Nuestro padre tiene una novela titulada *El tren de la tranquilidad*, en la que cuenta que existe algo intermedio entre la vida y la muerte. Para el planteamiento de su libro se basó en una ley científica, la de la inercia, que dice que si un cuerpo está en movimiento y de repente lo detenemos, ese cuerpo seguirá avanzando. Cuando saltamos del tren aún en marcha seguimos corriendo, no podemos quedarnos en el mismo sitio. Esa es la primera ley de Newton. En opinión de mi padre, cuando muere una persona sucede algo parecido: durante un instante ese muerto sigue estando vivo. Y transcurre un tiempo hasta que esa persona muere por completo. Te decía que algunas personas mueren para siempre y otras, en cambio, vuelven a la vida. Robert no volvió, y mi padre sí... volvió a la vida, como si se hubiera despertado de una pesadilla.

—Eso que dices tiene que ver con el duelo. Cuando alguien muere, es preciso pasar el duelo hasta interiorizar la muerte de esa persona. En cierta medida, el muerto sigue vivo en ese intervalo.

—Podría ser...

—¿Se sentía Herman culpable con respecto a

Robert? En los escritos de tu padre sí que aparece un sentimiento parecido.

—Claro, e incluso lo admitió en más de una ocasión. Al fin y al cabo, mi padre salió con vida y Robert murió. Perdió a un gran amigo; al mejor, diría yo. Y, al mismo tiempo, el pasado.

—¿El pasado?

—Perdió a su mejor amigo, el que siempre lo seguía. Robert nunca le dijo que no. Cuando por fin había logrado junto con Vic el equilibrio y la felicidad, volvió a decir que sí a nuestro padre. Perder a un amigo así supone que has perdido también una gran parte de tu vida, tu presente, tu futuro e incluso el pasado. Esos hermosos fragmentos del ayer se han perdido para siempre. Allí no puedes volver.

—Con todo, siempre guardaría el recuerdo de su amistad.

—Cómo no. Mira lo que dice de Robert en uno de sus libros —Evert saca uno de una pila que hay sobre la mesa—. *Lago Maggiore*, lo escribió en 1957. Es una novela optimista, después de muchos años de tristeza. Esto es lo que dijo en ella sobre Robert...

Evert comenzó a leer en voz alta:

> Recorrieron cientos de kilómetros por Italia, y no vieron más que edificios nuevos y ruinas de la Edad Media. No había ni rastro de la tragedia sucedida diez años antes.

—¿Acaso habrá alguien pensando en la guerra de los años cuarenta? Yo me estoy acordando en voz alta.

—Quizá los que ya no están aquí —dijo uno de nosotros.

—No te costará mucho adivinar de quién me estoy acordando ahora. Aún tengo su foto colgada en mi cuarto.

—Sí —dijo la chica—, de Robert Mussche, ese amigo tuyo que murió luchando en la resistencia.

—Era un hombre tranquilo, de buen fondo, y a fin de cuentas un héroe. Llevaba dentro un fuego sagrado, e hicieron falta cientos de metros cúbicos de agua del Báltico para apagarlo. Allí lo sepultaron... Soñador, enamorado de los paisajes de la vida... Cuánto habría gozado haciendo este viaje, estando aquí con nosotros.

¡Y ahora, aquí estoy yo, y cómo! Yo, que, en la última ocasión en que nos vimos, con tanta pasión le hablé de la mágica aventura de la vida...

Pero vendrá mi turno, Robert, más pronto o más tarde, me llegará la hora.

—Hermoso —exclamé.

—Yo diría que, por encima de todo, lo que mi padre sentía era pena. Pena, porque era un buen amigo; pena, porque era un buen padre, y pena, porque era un buen escritor. Ya te habrá contado Carmen que, cuando era pequeña, cada vez que la veía mi padre la abrazaba y se ponía a llorar.

—Así es —Carmen, callada durante toda la conversación, tomó la palabra—. Al principio agradecía aquel cálido abrazo de Herman. ¡Además, era tan grande, con esos largos brazos completamente abiertos! Pero he de confesar que terminé huyendo de él. No quería encontrármelo. ¡Un hombre del tamaño de un oso, que me abrazaba y se ponía a llorar...! —termina Carmen, entre chanzas y veras.

El nacimiento de Carmen Mussche fue largo y difícil. Si no hubiera sido por la ayuda del doctor Frans Daels, difícilmente habría venido al mundo. Cuando acabó la guerra, a Daels lo condenaron a muerte por colaborar con los nazis. Tuvo que huir a Suiza. Pasados unos años, en la década de los cincuenta, pudo volver a Gante y ejercer de nuevo la medicina. Los Daels vivían en la misma casa que Carmen, y en las escaleras ella trabó amistad con su hijo Luc, que tendría entonces unos doce años. Luc no pudo estudiar en ninguna escuela pública, pues lo tenía prohibido por el pasado de su padre; pero, de una u otra forma, consiguió terminar sus estudios y, con el tiempo, llegó a ser profesor de la Universidad de Gante. Las obras artísticas de Luc Daels pueden verse por la ciudad.

Carmen y él han aparecido juntos en la prensa más de una vez. El hijo de un colaboracionista y la hija del escritor muerto en la resistencia. Y, aun así, amigos.

Carmen me muestra una revista con las fotos de ambos. Me sorprende que Luc admita tan claramente que su padre era partidario de los nazis, sin ocultarlo como hicieron tantos otros.

24

Carmen Mussche no tuvo más noticia de Karmentxu Cundín hasta el homenaje a los niños de la guerra que se hizo en Bilbao en 2008. Invitaron a los que fueron aquellos niños de la guerra y a las familias de quienes los acogieron. En primer lugar, arrojaron flores en el puerto de Santurce, para recordar los viajes del *Habana*. Después se hizo un sencillo homenaje en el teatro Euskalduna. Carmen quería saber algo de Karmentxu a toda costa. Esa era la principal razón de su viaje. La última señal de vida que había dado era el pañuelo bordado que envió a Dora Mahy. Pero habían pasado muchos años desde entonces.

Carmen estaba muy nerviosa, preguntando, con una vieja foto en la mano, si Karmentxu Cundín estaba en aquella sala. Miraba si había alguna mujer que se le pareciera, imaginándose cómo sería Karmentxu ya entrada en años.

No la encontró. Pero sí a su hermano, Ramón, envejecido y con alzhéimer. Su memoria había ido debilitándose y desapareciendo, igual que se perdían aquellas palomas de Gante con mensajes en las patas, alejándose poco a poco. Indagando aquí y allá, Carmen logró hablar al fin con una sobrina de Karmentxu.

—Solo quiero saber una cosa —le dijo—. ¿Karmentxu fue feliz después de volver al País Vasco?

—Sí. Se casó y pasaron buenos años, aunque no tuvieron hijos. Fue costurera toda la vida, tenía muy buena mano.

Carmen miró a la chica a los ojos. Tenía los mismos ojos de Karmentxu, negros, muy negros.

En el librito *In memoriam Robert Mussche*, Herman dice que su mujer está embarazada y que piensa ponerle al pequeño el nombre de Robert, en recuerdo de su amigo muerto. El recién nacido fue niña y la llamaron Frederique. Nació el 11 de diciembre de 1945, pero se les murió enseguida, el 2 de febrero.

A su segundo hijo Herman le puso Evert. Así que pensé que Herman no había llevado a cabo su propósito.

Se lo pregunté a Carmen. Me dijo que no sabía nada.

Hace poco me ha escrito para decirme que entre los papeles ha encontrado una *plaquette* de cuatro poemas escritos por Herman. Los poemas se refieren a su hija. Lleva una dedicatoria escrita a mano: «Para Vic y Carmen, en recuerdo de nuestra querida Frederique-Roberte.» Finalmente sí que le puso, como había prometido, Roberte a su pequeña.

Nuestra hija Arane nació el 27 de noviembre de 2010. El 24 de abril de 2011 murió mi amigo Aitzol Aramaio. En una de las últimas ocasiones en que estuvimos juntos me dijo:

—Tienes que contar la historia de un héroe.

—Ya sabes que para mí no existen los héroes. A mí me gusta el lado frágil de las personas, no las hazañas. Los héroes me dan miedo.

—No te hablo de esos héroes. Te hablo de la gente corriente. Los héroes están ahí mismo, antes y ahora, aquí y en el ancho mundo; pequeños héroes que se dedican a ayudar a la gente.

Entonces me callé. Hoy le doy la razón. Los héroes están ahí, pequeños héroes que de vez en cuando se nos mueren.

Ea, aquí tienes la historia de un héroe, mi amigo del alma.

Sausalito, 19 de marzo de 2012
Ondárroa, 26 de octubre de 2012

AGRADECIMIENTOS

A Carmen Mussche, por contarme la historia de su padre.

A Maruja y Carmen Mirante, niñas de la guerra, por su testimonio. Para los textos en neerlandés he contado con la ayuda de Inge Viessers. Gracias especiales al periodista Julio Flor, por mostrarme el camino a casa de Carmen.

Durante la redacción de esta novela he consultado a menudo el trabajo de Jesús J. Alonso Carballés *1937. Los niños vascos evacuados a Francia y a Bélgica. Historia y memoria de un éxodo infantil, 1936-1940*. Igualmente *In memoriam Robert Mussche*, de Johan Daisne, libro póstumo de homenaje. Para informarme sobre el final de la Segunda Guerra Mundial y el *Cap Arcona* he tenido en cuenta *Endgame, 1945. The Missing Final Chapter of World War II*, de David Strafford. Asimismo, para recabar datos sobre el campo de concentración he recurrido a *Das Konzentrationslager Neuengamme 1938-1945. Herausgegeben von der KZ-Gedenkstätte Neuengamme*, de Hermann Kaienburg. Me ha sido también de mucha ayuda el testimonio recogido en *Ik was 20 in 1944, Relaas uit Neuengamme en Blumenthal*, de Raymond Van Pée. La novela de Primo Levi *Si esto es un hombre* ha sido mi compañera de viaje durante toda la escritura de la novela.

Este libro ha sido escrito gracias a una estancia de dos meses en el Headlands Center for The Arts, en San Francisco.

A Karmentxu Cundín y a todos los niños de la guerra, a los de ayer y a los de hoy, para que nada parecido vuelva a suceder.

Robert Mussche y Vic Opdebeeck
con su hija Carmen.

ÍNDICE

Impreso en Arvato Services Iberia, S. A.
Avda. de Seat s/n
08760 Martorell
(Barcelona)